Cuisine pour diabétiques

Cuisine pour diabétiques

Johanna Burkhard

photographies de André Noël

MODUS VIVENDI

© 2008 Les Publications Modus Vivendi inc.
© des photographies

LES PUBLICATIONS MODUS VIVENDI INC.
55, rue Jean-Talon Ouest, 2ᵉ étage
Montréal (Québec)
Canada
H2R 2W8

Directeur éditorial : Marc Alain
Conception graphique : Catherine et Émilie Houle
Photographe : André Noël
Réviseur : Guy Perreault

Dépôt légal - Bibliothèque et Archives nationales du Québec, 2008
Dépôt légal - Bibliothèque et archives Canada, 2008

ISBN-13 978-2-89523-552-1

Nous reconnaissons l'aide financière du gouvernement du Canada par l'entremise du Programme d'aide au développement de l'industrie de l'édition (PADIÉ) pour nos activités d'édition.

Gouvernement du Québec — Programme de crédit d'impôt pour l'édition de livres — Gestion SODEC

Imprimé en Chine

Recettes tirées du livre :
• 200 recettes réconfortantes

Table des matières

Avant-propos

Chacun de nous a des plats réconfortants qu'il préfère, qu'il s'agisse de plats des grands jours qui rappellent des moments heureux passés en compagnie de la famille et des amis ou de plats qui nous attirent les compliments des convives à qui on les sert. Les personnes atteintes de diabète (et celles qui cuisinent à leur intention) tiennent parfois pour acquis qu'elles ne pourront plus se délecter de leurs plats préférés. Il n'en est rien. Ce livre vous aidera à préparer des repas sains et délectables à partir de recettes connues que tous les membres de votre famille, et notamment les diabétiques, apprécieront. Des repas articulés autour d'une variété de pains et d'autres produits à base de grains complets, de légumes et de fruits, de viandes maigres, de volaille et de poisson ainsi que de produits laitiers allégés.

L'un des principaux objectifs des diabétiques consiste à atteindre et à conserver un poids santé. Pour cela, ils doivent contrôler leur apport en calories et limiter leur consommation globale de matières grasses de sorte qu'elles n'excèdent pas 30 % de leur apport calorique et celle de graisses saturées, afin qu'elles n'excèdent pas 10 % des calories. Par exemple, si quelqu'un consomme 2 000 calories par jour, il devrait consommer environ 65 grammes de matières grasses et, au plus, 22 grammes de graisses saturées.

Il importe également de contrôler l'apport en sodium. Le sodium que l'on trouve dans les aliments provient principalement du sel, qu'il soit employé au cours de la cuisson, ajouté à table ou dissimulé dans les aliments transformés et prêts à servir. Songez que 1 cuillerée à thé (5 ml) de sel contient près de 2 400 mg de sodium. *L'American Diabetes Association* (ADA) limite l'apport en sodium à quelque 2 400 à 6 000 mg par jour, alors que l'*Association canadienne du diabète* propose de le limiter à quelque 2 400 à 4 000 mg. Dans les deux cas, on recommande de s'en tenir à la quantité inférieure.

Une idée fausse circule qui veut que les diabétiques doivent éviter de consommer des glucides, en particulier le sucre. Cela n'a rien de vrai, mais vous devez contrôler la quantité globale de glucides que vous consommez afin de la répartir également entre les repas et les collations d'une même journée. L'indice glycémique (ou proportion selon laquelle tel type de glucide fait s'accroître le taux de sucre dans le sang) importe également. Les aliments tels que les légumineuses, les légumes et les produits faits de grains entiers ont les indices glycémiques les moins élevés et doivent être consommés souvent. Pour obtenir de plus amples renseignements sur l'indice glycémique, veuillez consulter votre spécialiste du diabète ou rendez-vous sur l'un des portails électroniques suivants : www.diabetes.org ou www.diabetes.ca.

Les recettes regroupées dans ce livre font appel à des ingrédients que l'on trouve sans difficulté dans les supermarchés, et leur préparation est facile. De plus, chaque recette est accompagnée d'une analyse des éléments nutritifs qui fractionnent sa quantité de calories, de glucides, de fibres, de protéines, de matières grasses (en plus des graisses saturées et du cholestérol) et de sodium par portion. Lorsque vous planifiez les repas, ces renseignements vous seront utiles afin de substituer les aliments qui ont une teneur élevée en matières grasses, en sodium ou en glucides par d'autres qui en comptent moins.

Pour 8 personnes

Soupe aux pois et au jambon fumé à l'ancienne

1. Faites chauffer l'huile à feu moyen dans un faitout ou une marmite. Ajoutez le poireau, l'oignon, l'ail, les carottes, le céleri, la marjolaine, la feuille de laurier et le poivre; faites cuire en remuant souvent pendant 8 minutes ou jusqu'à ce que les légumes aient fondu.

2. Ajoutez le bouillon, l'eau, le jambon et les pois cassés en remuant. Amenez à ébullition, réduisez le feu, couvrez et laissez mijoter pendant 90 minutes environ ou jusqu'à ce que les pois soient tendres.

3. Enlevez la feuille de laurier. Ajoutez le persil en remuant. La soupe épaissit alors qu'elle refroidit. Vous pouvez l'allonger avec un peu de bouillon ou d'eau pour obtenir la consistance voulue.

ANALYSE DES ÉLÉMENTS NUTRITIFS PAR PORTION	
Calories	208
Glucides	29 g
Fibres	5 g
Protéines	16 g
Total des matières grasses	4 g
Gras saturés	1 g
Sodium	685 mg
Cholestérol	14 mg

1 c. à soupe (15 ml) d'huile de canola

1 poireau moyen, le blanc et le vert pâle seulement, haché

1 gros oignon haché

2 gousses d'ail hachées fin

3 carottes pelées et hachées

1 grosse tige de céleri, avec les feuilles, hachée

1½ c. à thé (7 ml) de marjolaine séchée

1 feuille de laurier

¼ c. à thé (1 ml) de poivre noir frais moulu

6 tasses (1,5 l) de bouillon de poulet à teneur réduite en sodium

2 tasses (500 ml) d'eau

2 tasses (500 ml) de jambon fumé maigre et haché

1½ tasse (375 ml) de pois jaunes ou de pois verts cassés, rincés et épluchés

¼ tasse (50 ml) de persil frais haché

Pour 8 personnes

Soupe au poulet et aux nouilles

1. Rincez le poulet et enlevez le plus de peau et de gras que vous pouvez. Déposez-le dans une grande marmite, versez l'eau afin de couvrir la volaille. Amenez à ébullition à feu vif; à l'aide d'une cuillère à rainures, écumez la mousse à mesure qu'elle se forme à la surface.

2. Ajoutez l'oignon, les carottes, le céleri, le persil, le thym, le sel, le poivre et la feuille de laurier. Ramenez le feu à moyen-doux, couvrez et laissez mijoter pendant environ 75 minutes ou jusqu'à ce que le poulet soit tendre.

3. Enlevez le poulet à l'aide de la cuillère à rainures et déposez-le dans un grand bol; laissez-le refroidir quelque peu. Prélevez la chair des os; jetez la peau et les os. Taillez la chair pour en faire des bouchées. Réservez-en 2 tasses (500 ml) pour faire la soupe. (Employez le reste pour faire d'autres recettes et des sandwiches.)

4. Dégraissez le bouillon et amenez-le à ébullition. Ajoutez les cubes de poulet, les nouilles, la courgette et l'aneth; faites cuire pendant 10 minutes environ ou jusqu'à ce que les nouilles et les courgettes soient tendres. Enlevez la feuille de laurier. Poivrez au goût.

3 lb (1,5 kg) de poulet complet ou en morceaux, par exemple les cuisses et la poitrine

10 tasses (2,5 l) d'eau (environ)

1 gros oignon haché fin

3 carottes pelées et hachées

2 tiges de céleri, dont les feuilles, hachées

2 c. à soupe (30 ml) de persil frais haché

½ c. à thé (2 ml) de thym séché

1½ c. à thé (7 ml) de sel

¼ c. à thé (1 ml) de poivre noir frais moulu

1 feuille de laurier

1½ tasse (375 ml) de nouilles aux œufs moyennes et grosses

1 tasse (250 ml) de courgette en tranches fines ou de petits bouquets de chou-fleur

2 c. à soupe (30 ml) d'aneth ou de persil frais haché

ANALYSE DES ÉLÉMENTS NUTRITIFS PAR PORTION	
Calories	139
Glucides	12 g
Fibres	3 g
Protéines	15 g
Total des matières grasses	3 g
Gras saturés	1 g
Sodium	525 mg
Cholestérol	39 mg

Pour 6 personnes

Crème de champignons

1. Faites chauffer le beurre à feu moyen-vif dans un faitout ou une grande casserole. Faites cuire l'oignon et l'ail en remuant pendant 2 minutes jusqu'à ce qu'ils aient fondu. Ajoutez les champignons et le thym en remuant; faites cuire en remuant souvent pendant 5 minutes ou jusqu'à ce que les champignons soient tendres.

2. Saupoudrez la farine, ajoutez le bouillon en remuant, puis le sel et le poivre. Amenez à ébullition à feu vif. Ramenez le feu à moyen-doux, couvrez et laissez mijoter pendant 25 minutes. Laissez refroidir quelque peu.

3. À l'aide d'un robot culinaire, réduisez la soupe en purée. Retournez-la à la casserole. Refaites-la chauffer à feu moyen; ajoutez la crème et le xérès (le cas échéant) en remuant. Poivrez au goût. Faites chauffer jusqu'à ce que la soupe soit bien fumante. Servez-la dans des bols chauds et saupoudrez-la de ciboulette hachée.

1 c. à soupe (15 ml) de margarine ou de beurre amolli

1 gros oignon haché fin

2 gousses d'ail hachées

8 oz (250 g) de champignons assortis, par exemple des shiitakes et des cremini, en tranches

1½ c. à thé (7 ml) de thym frais haché ou ½ c. à thé (2 ml) de thym séché

2 c. à soupe (30 ml) de farine tout usage

4 tasses (1 l) de bouillon de poulet à teneur réduite en sodium

½ c. à thé (2 ml) de sel

¼ c. à thé (1 ml) de poivre noir frais moulu

1 tasse (250 ml) de crème 10 %

¼ tasse (50 ml) de xérès assez sec (facultatif)

2 c. à soupe (30 ml) de ciboulette ou de persil frais haché

ANALYSE DES ÉLÉMENTS NUTRITIFS PAR PORTION	
Calories	113
Glucides	11 g
Fibres	2 g
Protéines	4 g
Total des matières grasses	6 g
Gras saturés	3 g
Sodium	570 mg
Cholestérol	13 mg

Pour 6 personnes

Soupe de lentilles vertes

1. Dans un grand faitout ou une marmite, mélangez le bouillon, l'eau, les lentilles, les champignons, les carottes, le céleri, l'oignon, l'ail et le thym.

2. Amenez à ébullition; réduisez le feu, couvrez et laissez mijoter pendant 35 à 40 minutes ou jusqu'à ce que les lentilles soient tendres. Ajoutez l'aneth ou le persil en remuant et poivrez au goût.

6 tasses (1,5 l) de bouillon de poulet à teneur réduite en sodium

2 tasses (500 ml) d'eau

1 tasse (250 ml) de lentilles vertes rincées et triées

8 oz (250 g) de champignons hachés

2 carottes pelées et hachées

2 tiges de céleri, avec les feuilles, hachées

1 gros oignon haché

2 gousses d'ail hachées fin

1 c. à thé (5 ml) de marjolaine ou de thym séché

¼ tasse (50 ml) d'aneth ou de persil frais haché

poivre noir frais moulu

ANALYSE DES ÉLÉMENTS NUTRITIFS PAR PORTION	
Calories	155
Glucides	26 g
Fibres	7 g
Protéines	12 g
Total des matières grasses	1 g
Gras saturés	0 g
Sodium	520 mg
Cholestérol	0 mg

Pour 6 personnes

Potage à la pomme de terre et au poireau

1. Faites fondre le beurre dans une grande casserole à feu moyen. Ajoutez les poireaux, les pommes de terre et l'estragon; faites cuire en remuant pendant 5 minutes ou jusqu'à ce que les poireaux aient fondu. Ajoutez la farine en remuant et versez le bouillon aussi en remuant. Amenez à ébullition, baissez le feu, couvrez et laissez mijoter, en remuant à l'occasion, pendant 20 minutes ou jusqu'à ce que les pommes de terre soient très tendres.

2. Ajoutez le cresson; laissez mijoter pendant 1 minute ou jusqu'à ce que le cresson ait amolli et que sa couleur soit vive.

3. Passez la soupe au mélangeur ou au robot culinaire pour la réduire en purée. Retournez-la à la casserole. Ajoutez le lait en remuant et poivrez au goût. Faites réchauffer pour que la soupe soit bien fumante, mais sans la faire bouillir. Servez dans des bols et garnissez de pousses de cresson.

1 c. à soupe (15 ml) de margarine ou de beurre amolli

2 poireaux moyens, le blanc et le vert pâle seulement, hachés

2 tasses (500 ml) de dés de pommes de terre pelées

1 c. à thé (5 ml) d'estragon ou de fines herbes séchés

2 c. à soupe (30 ml) de farine tout usage

4 tasses (1 l) de bouillon de poulet à teneur réduite en sodium

1 bouquet de cresson, sans les tiges, haché

1 tasse (250 ml) de lait faible en gras poivre noir frais moulu

pousses de cresson

ANALYSE DES ÉLÉMENTS NUTRITIFS PAR PORTION	
Calories	114
Glucides	18 g
Fibres	3 g
Protéines	5 g
Total des matières grasses	3 g
Gras saturés	1 g
Sodium	390 mg
Cholestérol	2 mg

Pour 6 personnes

Crème de carottes parfumée à l'orange

1. Faites chauffer l'huile à feu moyen dans une grande casserole. Ajoutez l'oignon, l'ail et la pâte de curry; faites cuire en remuant pendant 2 minutes ou jusqu'à ce que l'oignon ait fondu. Ajoutez les carottes, le bouillon et le jus d'orange. Amenez à ébullition, couvrez et laissez mijoter pendant 45 minutes ou jusqu'à ce que les carottes soient très tendres. Laissez refroidir pendant 10 minutes.

2. Réduisez la soupe en purée à l'aide d'un robot culinaire ou d'un mélangeur. Retournez-la à la casserole. Dans un bol, mélangez le yogourt et la fécule de maïs, puis versez-les dans la soupe en remuant. Laissez cuire à feu moyen en remuant pendant 5 minutes ou jusqu'à ce qu'elle soit bien fumante. Poivrez au goût. Servez dans des bols et garnissez de persil et de zeste d'orange.

1 c. à soupe (15 ml) d'huile végétale

1 oignon moyen haché

1 grosse gousse d'ail hachée fin

2 c. à thé (10 ml) de pâte
ou de poudre de curry doux

4 tasses (1 l) de carottes tranchées

4 tasses (1 l) de bouillon de poulet
à teneur réduite en sodium

1 tasse (250 ml) de jus d'orange

1 tasse (250 ml) de yogourt nature
allégé

1 c. à soupe (15 ml) de fécule de maïs
poivre noir frais moulu

2 c. à soupe (30 ml) de persil
ou de ciboulette frais haché

zeste d'orange

ANALYSE DES ÉLÉMENTS NUTRITIFS PAR PORTION	
Calories	132
Glucides	20 g
Fibres	3 g
Protéines	5 g
Total des matières grasses	4 g
Gras saturés	1 g
Sodium	470 mg
Cholestérol	2 mg

Pour 6 personnes

Soupe à l'oignon gratinée

1. Faites fondre le beurre à feu moyen dans un faitout ou une grande casserole. Ajoutez les oignons, le thym et le poivre; faites cuire en remuant souvent pendant 15 minutes ou jusqu'à ce que les oignons aient fondu et blondi. Ajoutez la farine en remuant, versez le bouillon et l'eau. Amenez à ébullition en remuant jusqu'à ce que la préparation ait épaissi. Ramenez le feu à moyen-doux, couvrez et laissez mijoter pendant 15 minutes.

2. Entre-temps, réglez la clayette du four de sorte qu'elle soit à 15 cm (6 po) sous la salamandre; faites chauffer cette dernière.

3. Disposez les tranches de pain sur une plaque à cuisson, passez-les sous le gril et faites-les griller des deux côtés.

4. Déposez les tranches de pain grillé dans des bols à soupe qui supportent la chaleur; saupoudrez-y la moitié du fromage. Déposez les bols à soupe dans un grand plateau peu profond. Versez la soupe chaude dans les bols. Saupoudrez-y le fromage qui reste. Passez-les sous le gril pendant 3 minutes ou jusqu'à ce que le fromage ait fondu et doré. Servez sans tarder.

2 c. à soupe (30 ml) de margarine ou de beurre amolli

8 tasses (2 l) d'oignons espagnols hachés fin (2 ou 3)

¼ c. à thé (1 ml) de thym séché

¼ c. à thé (1 ml) de poivre noir frais moulu

2 c. à soupe (30 ml) de farine tout usage

3 tasses (750 ml) de bouillon de bœuf à teneur réduite en sodium

3 tasses (750 ml) d'eau

6 tranches de pain français de ¾ po (2 cm) d'épaisseur

1½ tasse (375 ml) de gruyère allégé, râpé

ANALYSE DES ÉLÉMENTS NUTRITIFS PAR PORTION	
Calories	256
Glucides	30 g
Fibres	3 g
Protéines	13 g
Total des matières grasses	9 g
Gras saturés	4 g
Sodium	595 mg
Cholestérol	17 mg

Pour 6 personnes

Crème de tomate

Faites d'abord chauffer le four à 400 °F (200 °C).
Rôtissoire

1. Versez l'huile dans une grande rôtissoire peu profonde. Ajoutez les tomates, le poireau, l'oignon, les carottes, le céleri et l'ail; assaisonnez avec le sel, le poivre et la muscade.

2. Faites-les cuire à découvert dans un four chaud en remuant souvent pendant 75 minutes ou jusqu'à ce que les légumes soient très tendres. Ils ne doivent toutefois pas dorer.

3. Mélangez le bouillon et l'eau et ajoutez-en 2 tasses (500 ml) dans la rôtissoire. Réduisez la préparation en purée, de préférence dans un mélangeur ou dans un robot culinaire, jusqu'à obtention d'une consistance lisse. Passez la soupe au tamis et versez-la dans une grande casserole.

4. Ajoutez la crème et suffisamment du bouillon qui reste pour allonger la soupe selon la consistance voulue. Poivrez au goût. Faites cuire jusqu'à ce qu'elle soit fumante; la soupe ne doit cependant pas bouillir, car la crème risquerait de cailler. Servez-la dans des bols chauds en la saupoudrant de fines herbes.

1 c. à soupe (15 ml) d'huile d'olive

6 tomates mûres épépinées et taillées en quartiers (environ 2 lb ou 1 kg)

1 poireau moyen, le blanc et le vert pâle seulement, haché

1 petit oignon haché grossièrement

2 carottes moyennes, pelées et hachées grossièrement

1 tige de céleri, avec les feuilles, hachée

2 grosses gousses d'ail tranchées

½ c. à thé (2 ml) de sel

¼ c. à thé (1 ml) de poivre noir frais moulu

1 pincée de muscade fraîche moulue

2 tasses (500 ml) de bouillon de poulet à teneur réduite en sodium

1 tasse (250 ml) d'eau

1 tasse (250 ml) de crème légère (5 %)

2 c. à soupe (30 ml) de fines herbes hachées, par exemple du persil, du basilic ou de la ciboulette

ANALYSE DES ÉLÉMENTS NUTRITIFS PAR PORTION	
Calories	112
Glucides	14 g
Fibres	3 g
Protéines	4 g
Total des matières grasses	5 g
Gras saturés	2 g
Sodium	410 mg
Cholestérol	8 mg

Pour 4 personnes

Chaudrée de palourdes (myes)

1. Faites cuire le lard à feu moyen dans une grande casserole en le remuant pendant 4 minutes ou jusqu'à ce qu'il soit croustillant. Retirez-le de la casserole, épongez-le à l'aide d'essuie-tout et laissez-le de côté. Enlevez le gras de la casserole.

2. Ajoutez les palourdes égouttées, l'oignon, le céleri, l'ail et la feuille de laurier; faites cuire en remuant souvent pendant 3 minutes ou jusqu'à ce que les légumes aient fondu.

3. Ajoutez en remuant le jus des palourdes, les dés de pommes de terre et le bouillon; amenez à ébullition. Ramenez à feu moyen-doux, couvrez et laissez mijoter pendant 15 minutes ou jusqu'à ce que les légumes soient tendres.

4. Dans un bol, mélangez une petite quantité de lait avec la farine pour en faire une pâte. Ajoutez en remuant le reste de lait jusqu'à obtention d'une consistance lisse et sans grumeaux. Versez dans la casserole; amenez à ébullition à feu moyen-vif en remuant souvent jusqu'à ce que la préparation épaississe.

5. Ajoutez en remuant les dés de lard et le persil et poivrez au goût. Enlevez la feuille de laurier avant de servir.

4 tranches de lard en dés

1 boîte (5 oz ou 142 g) de palourdes égouttées, dont vous aurez réservé le jus

1 petit oignon haché fin

1 tige de céleri taillée en dés fins

1 gousse d'ail hachée

1 feuille de laurier

1½ tasse (375 ml) de dés de pommes de terre de 1 cm (½ po)

1 tasse (250 ml) de bouillon de poisson ou de poulet à teneur réduite en sodium

2 tasses (500 ml) de lait écrémé

3 c. à soupe (45 ml) de farine tout usage

2 c. à soupe (25 ml) de persil frais haché fin

poivre noir frais moulu

ANALYSE DES ÉLÉMENTS NUTRITIFS PAR PORTION	
Calories	199
Glucides	24 g
Fibres	1 g
Protéines	14 g
Total des matières grasses	5 g
Gras saturés	2 g
Sodium	425 mg
Cholestérol	23 mg

Pour 6 personnes

Chaudrée au brocoli et au cheddar

1. Faites chauffer l'huile à feu moyen dans une grande casserole. Faites cuire l'oignon en remuant pendant 2 minutes ou jusqu'à ce qu'il ait fondu. Ajoutez la farine en remuant, puis le bouillon. Amenez à ébullition en remuant jusqu'à épaississement.

2. Ajoutez les pommes de terre et la feuille de laurier; réduisez le feu, couvrez et laissez mijoter en remuant à l'occasion pendant 10 minutes.

3. Ajoutez le brocoli; laissez mijoter en remuant à l'occasion pendant 10 minutes de plus ou jusqu'à ce que les légumes soient tendres.

4. Ajoutez le lait et le fromage en remuant; faites chauffer jusqu'à ce que le fromage fonde et que la soupe soit fumante. Ne la faites pas bouillir, car la soupe pourrait cailler. Enlevez la feuille de laurier, rectifiez l'assaisonnement à l'aide du poivre.

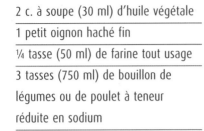

2 c. à soupe (30 ml) d'huile végétale

1 petit oignon haché fin

¼ tasse (50 ml) de farine tout usage

3 tasses (750 ml) de bouillon de légumes ou de poulet à teneur réduite en sodium

2 tasses (500 ml) de pommes de terre pelées et taillées en cubes de 1 cm (½ po)

1 feuille de laurier

3 tasses (750 ml) de têtes de brocoli hachées fin et de tiges pelées

1½ tasse (375 ml) de lait faible en gras

1½ tasse (375 ml) de cheddar allégé, râpé

poivre noir frais moulu

ANALYSE DES ÉLÉMENTS NUTRITIFS PAR PORTION	
Calories	244
Glucides	22 g
Fibres	2 g
Protéines	12 g
Total des matières grasses	12 g
Gras saturés	5 g
Sodium	515 mg
Cholestérol	22 mg

Pour 12 personnes

Minestrone

1. Faites chauffer l'huile à feu moyen dans un faitout ou une grande marmite. Ajoutez les oignons, l'ail, les carottes, le céleri, le basilic, l'origan et le poivre; faites cuire en remuant pendant 5 minutes ou jusqu'à ce que les légumes aient fondu.

2. Ajoutez en remuant le bouillon, l'eau, les tomates et leur jus, le chou-fleur et les haricots. Amenez à ébullition; ramenez le feu à moyen-doux et laissez mijoter à couvert pendant 20 minutes ou jusqu'à ce que les légumes soient tendres.

3. Ajoutez les pâtes en remuant, couvrez et laissez mijoter pendant 10 minutes, en remuant à l'occasion, jusqu'à ce que les pâtes soient cuites.

4. Ajoutez les pois chiches et le persil; faites cuire 5 minutes de plus ou jusqu'à ce que la soupe soit fumante. Servez-la dans des bols chauds et saupoudrez-la de parmesan râpé.

ANALYSE DES ÉLÉMENTS NUTRITIFS PAR PORTION	
Calories	132
Glucides	21 g
Fibres	4 g
Protéines	6 g
Total des matières grasses	3 g
Gras saturés	0 g
Sodium	505 mg
Cholestérol	0 mg

1 c. à soupe (15 ml) d'huile d'olive

2 oignons moyens hachés

4 gousses d'ail hachées fin

3 carottes moyennes pelées, en dés

2 tiges de céleri, avec les feuilles, hachées

1½ c. à thé (7 ml) de basilic séché

1 c. à thé (5 ml) de marjolaine ou d'origan séché

½ c. à thé (2 ml) de poivre noir frais moulu

8 tasses (2 l) de bouillon de poulet à teneur réduite en sodium

2 tasses (500 ml) d'eau

1 boîte (19 oz ou 540 ml) de tomates et leur jus, hachées

2 tasses (500 ml) de petits bouquets de chou-fleur

1½ tasse (375 ml) de haricots verts, taillés en morceaux de 1 po (2,5 cm)

¾ tasse (175 ml) de pâtes courtes, par exemple des tubettis ou des coquilles

1 boîte (19 oz ou 540 ml) de pois chiches ou de petits haricots blancs égouttés et rincés

⅓ tasse (75 ml) de persil frais haché

parmesan fraîchement râpé

Pour 3 tasses (750 ml) (2 c. à soupe ou 30 ml par portion)

Trempette chaude aux épinards et au fromage

1. Retirez les tiges des feuilles d'épinards frais; rincez-les à l'eau froide. Déposez les épinards humides dans une grande poêle. Faites-les cuire à feu vif en remuant jusqu'à ce qu'ils aient flétri. Déposez les épinards dans une passoire pour qu'ils s'égouttent. Essorez-les à la main; déposez-les dans un torchon propre et sec que vous tordrez afin d'en exprimer le jus.

2. Dans une casserole moyenne, mélangez les épinards, le fromage à la crème, la salsa, les oignons verts, l'ail, l'origan et le cumin. Laissez cuire à feu moyen en remuant pendant 2 à 3 minutes ou jusqu'à ce que la préparation soit onctueuse et très chaude.

3. Ajoutez en remuant le fromage et le lait; faites cuire pendant 2 minutes ou jusqu'à ce que le fromage ait fondu. Versez davantage de lait afin d'allonger la trempette, si vous voulez. Rehaussez de sauce au poivre de Cayenne. À l'aide d'une louche, déposez la trempette dans un plat de service.

1 sachet (10 oz ou 300 g) d'épinards frais ou surgelés, hachés

8 oz (250 g) de fromage à la crème allégé, amolli

1 tasse (250 ml) de salsa douce ou moyennement épicée

2 oignons verts hachés fin

1 gousse d'ail émincée

½ c. à thé (2 ml) d'origan séché

½ c. à thé (2 ml) de cumin moulu

½ tasse (125 ml) de cheddar allégé, râpé

½ tasse (125 ml) de lait écrémé (environ)

sel

sauce au poivre de Cayenne

ANALYSE DES ÉLÉMENTS NUTRITIFS PAR PORTION	
Calories	39
Glucides	2 g
Fibres	1 g
Protéines	2 g
Total des matières grasses	3 g
Gras saturés	2 g
Sodium	150 mg
Cholestérol	8 mg

21

Pour 1¼ tasse (300 ml) (2 c. à soupe ou 30 ml par portion)

Tartinade de crevettes rosée

1. Déposez le fromage à la crème dans un bol afin de le fouetter jusqu'à l'obtention d'une consistance lisse. Ajoutez en remuant la crème sure, la sauce chili, le raifort et la sauce au poivre de Cayenne, au goût.

2. Incorporez les crevettes et les oignons verts. Versez dans un plat de service, couvrez de pellicule plastique et réfrigérez jusqu'au moment de servir.

Vous pouvez préparer cette tartinade en quelques minutes à partir d'ingrédients que vous avez au garde-manger ou au réfrigérateur. Elle est également délicieuse avec des craquelins ou des bâtonnets de légumes.

4 oz (125 g) de fromage à la crème allégé, amolli

¼ tasse (50 ml) de crème sure ou de yogourt nature allégé

2 c. à soupe (30 ml) de sauce chili

1 c. à thé (5 ml) de raifort

sauce au poivre de Cayenne

1 boîte (4 oz ou 113 g) de petites crevettes égouttées et rincées

1 c. à soupe (15 ml) de queues d'oignons verts hachées ou de ciboulette ciselée

ANALYSE DES ÉLÉMENTS NUTRITIFS PAR PORTION	
Calories	45
Glucides	2 g
Fibres	0 g
Protéines	3 g
Total des matières grasses	3 g
Gras saturés	1 g
Sodium	150 mg
Cholestérol	21 mg

Pour 36 bouchées (3 par portion)

Biscottes au cheddar et aux jalapeños

Faites d'abord chauffer le four à 375 °F (190 °C).
Plaques à cuisson

1. Réduisez le cheddar et le fromage à la crème en purée dans un robot culinaire jusqu'à l'obtention d'une consistance lisse. Videz la préparation dans un bol; ajoutez en remuant le poivron rouge, les jalapeños et le persil.

2. Tartinez les tranches de baguette d'une généreuse cuillerée à thé (entre 5 et 7 ml) de préparation au fromage. Disposez les biscottes sur des plaques à cuisson.

3. Faites cuire au four pendant 10 à 12 minutes (jusqu'à 15 minutes si les biscottes sont surgelées), jusqu'à ce que la préparation gonfle et que le contour des biscottes soit grillé. Servez chaud. Préparez à l'avance ces savoureux amuse-bouches et conservez-les au congélateur. Lorsque vos invités sont sur le point d'arriver, enfournez-les pour les réchauffer.

8 oz (250 g) de fromage cheddar allégé, râpé

4 oz (125 g) de fromage à la crème allégé, taillé en dés

2 c. à soupe (30 ml) de poivron rouge taillé en dés

2 c. à soupe (30 ml) de piments jalapeños hachés fin ou 1 c. à soupe (15 ml) de piments jalapeños marinés

2 c. à soupe (30 ml) de persil frais haché fin

36 tranches de baguette de ⅓ po (8 mm) d'épaisseur

ANALYSE DES ÉLÉMENTS NUTRITIFS PAR PORTION	
Calories	123
Glucides	9 g
Fibres	0 g
Protéines	7 g
Total des matières grasses	6 g
Gras saturés	4 g
Sodium	320 mg
Cholestérol	20 mg

Pour 4 tasses (1 l) (¼ tasse ou 50 ml par portion)

Trempette étagée aux haricots

Plat de service peu profond de 8 po (20 cm) ou assiette à tarte

1. Déposez les haricots, l'ail, l'origan, le cumin et l'eau dans un robot culinaire et pulsez jusqu'à obtention d'une consistance homogène. Déposez la préparation uniformément dans le plat de service.

2. Dans un bol, mélangez le fromage, la crème sure et les piments jalapeños. Déposez cette préparation uniformément sur la précédente. (Vous pouvez le faire plus tôt au cours de la journée, couvrir de pellicule plastique et réfrigérer.)

3. Au moment de servir, disposez les tomates, les oignons verts, les olives et la coriandre sur la préparation réfrigérée. Servez avec des tortillas ou des morceaux de pita craquants.

1 boîte (19 oz ou 540 ml) de haricots rouges ou noirs, égouttés et rincés

1 gousse d'ail émincée

1 c. à thé (5 ml) d'origan séché

½ c. à thé (2 ml) de cumin moulu

1 c. à soupe (15 ml) d'eau

1 tasse (250 ml) de cheddar allégé, râpé

¾ tasse (175 ml) de crème sure allégée

1 c. à soupe (15 ml) de piments jalapeños marinés, hachés

2 tomates épépinées, taillées en dés

2 oignons verts hachés fin

⅓ tasse (75 ml) d'olives noires tranchées

⅓ tasse (75 ml) de coriandre fraîche ou de persil frais haché

ANALYSE DES ÉLÉMENTS NUTRITIFS PAR PORTION	
Calories	74
Glucides	8 g
Fibres	3 g
Protéines	5 g
Total des matières grasses	3 g
Gras saturés	1 g
Sodium	185 mg
Cholestérol	5 mg

Pour 36 bouchées (3 par portion)

Mousse de saumon fumé

1. Égouttez le saumon et versez le jus dans une tasse à mesurer. Ajoutez suffisamment d'eau pour obtenir ¼ tasse (50 ml). Versez la gélatine dans la tasse. Laissez agir pendant 1 ou 2 minutes pour qu'elle s'humecte. Passez-la au micro-ondes à puissance moyenne (50 %) pendant 45 à 60 secondes, jusqu'à ce qu'elle se dissolve.

2. Enlevez la peau du saumon et jetez-la. Déposez le saumon dans le bol du robot culinaire avec la gélatine, le zeste et le jus de citron et le sel. Pulsez jusqu'à l'obtention d'une consistance lisse. Versez la préparation dans un bol. Ajoutez en remuant la crème sure, le saumon fumé, les oignons verts et l'aneth. Rehaussez de sauce au poivre de Cayenne, au goût.

3. À l'aide d'une cuillère, déposez la préparation dans un plat de service. Couvrez de pellicule plastique (elle ne doit pas toucher la surface de la mousse), réfrigérez pendant 4 heures ou toute la nuit. Garnissez de bouquets d'aneth et de zeste de citron. Servez avec des biscottes Melba et du pain pumpernickel.

1 boîte (7½ oz ou 213 g) de saumon rouge

1 sachet (¼ oz ou 7 g) de gélatine sans saveur

½ c. à thé (2 ml) de zeste de citron

1 c. à soupe (15 ml) de jus de citron fraîchement pressé

¼ c. à thé (1 ml) de sel

1½ tasse (375 ml) de crème sure allégée

4 oz (125 g) de saumon fumé haché fin

2 c. à soupe (30 ml) d'oignons verts émincés

2 c. à soupe (30 ml) d'aneth frais haché fin

sauce au poivre de Cayenne

bouquets d'aneth et zeste de citron pour la garniture

ANALYSE DES ÉLÉMENTS NUTRITIFS PAR PORTION	
Calories	85
Glucides	3 g
Fibres	0 g
Protéines	8 g
Total des matières grasses	4 g
Gras saturés	1 g
Sodium	225 mg
Cholestérol	7 mg

Pour 2 tasses (500 ml), (¼ tasse ou 50 ml par portion)

Trempette expresse au crabe

8 oz (250 g) de fromage à la crème allégé

1 boîte (6 oz ou 170 ml) de crabe égoutté, le jus réservé

¼ tasse (50 ml) d'oignons verts hachés fin

2 c. à thé (10 ml) de jus de citron fraîchement pressé

¼ c. à thé (1 ml) de sauce Worcestershire

¼ c. à thé (1 ml) de paprika

sauce au poivre de Cayenne

1. Déposez le fromage à la crème dans un bol de taille moyenne allant au micro-ondes; faites-le chauffer à puissance moyenne (50 %) pendant 2 minutes ou jusqu'à ce que le fromage ait amolli. Remuez-le jusqu'à l'obtention d'une consistance lisse.

2. Ajoutez en remuant le crabe, les oignons verts, 2 c. à soupe (30 ml) de jus de crabe, le jus de citron, la sauce Worcestershire, le paprika et la sauce au poivre de Cayenne, au goût. Passez la préparation au micro-ondes à puissance moyenne-élevée (70 %) pendant 2 minutes ou jusqu'à ce qu'elle soit très chaude. Servez chaud.

S'il se trouve une boîte de crabe dans le garde-manger et du fromage à la crème au réfrigérateur, vous avez de quoi préparer une trempette en l'espace de 5 minutes. Vous pouvez vous servir du micro-ondes ou encore de la cuisinière à feu moyen.

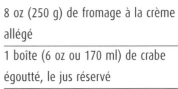

ANALYSE DES ÉLÉMENTS NUTRITIFS PAR PORTION	
Calories	83
Glucides	2 g
Fibres	0 g
Protéines	5 g
Total des matières grasses	6 g
Gras saturés	3 g
Sodium	345 mg
Cholestérol	20 mg

Pour 2 tasses (500 ml) (2 c. à soupe ou 30 ml par portion)

Tartinade de haricots blancs à l'italienne

1. Dans une petite casserole, mélangez l'huile, l'oignon et l'ail; laissez cuire à feu moyen pendant 5 minutes en remuant à l'occasion ou jusqu'à ce que l'oignon ait blondi (il ne doit pas caraméliser). Ajoutez le vinaigre et retirez du feu. À l'aide d'un robot culinaire, réduisez en purée les haricots et l'oignon.

2. Versez dans un bol. Ajoutez en remuant les dés de tomates confites au soleil, le persil et le basilic. Poivrez au goût. Couvrez de pellicule plastique et réfrigérez.

2 c. à soupe (30 ml) d'huile d'olive

1 petit oignon haché fin

2 grosses gousses d'ail hachées fin

1 c. à soupe (15 ml) de vinaigre de vin rouge

1 boîte (19 oz ou 540 ml) de haricots blancs, égouttés et rincés

2 c. à soupe (30 ml) de tomates confites au soleil, conservées dans l'huile, hachées fin

1 c. à soupe (15 ml) de persil frais haché

1 c. à soupe (15 ml) de feuilles de basilic frais hachées

poivre noir frais moulu

ANALYSE DES ÉLÉMENTS NUTRITIFS PAR PORTION	
Calories	51
Glucides	6 g
Fibres	2 g
Protéines	2 g
Total des matières grasses	2 g
Gras saturés	0 g
Sodium	75 mg
Cholestérol	0 mg

Pour 2 tasses (500 ml) (2 c. à soupe ou 30 ml par portion)

Trempette aux fines herbes

1. À l'aide d'un robot culinaire, réduisez en purée le fromage cottage, le yogourt et la mayonnaise jusqu'à l'obtention d'une consistance homogène et crémeuse.

2. Versez la préparation dans un bol et ajoutez en remuant le persil, la ciboulette, l'aneth, la moutarde, le vinaigre et la sauce au poivre de Cayenne, au goût. Couvrez le bol et mettez-le au réfrigérateur.

1 tasse (250 ml) de fromage cottage à 1 % de matières grasses, fouetté en crème

½ tasse (125 ml) de yogourt nature allégé ou de crème sure allégée

½ tasse (125 ml) de mayonnaise allégée

⅓ tasse (75 ml) de persil frais haché fin

2 c. à soupe (30 ml) de ciboulette fraîche ou d'oignons verts hachés fin

2 c. à soupe (30 ml) d'aneth frais haché

1½ c. à thé (7 ml) de moutarde de Dijon

1 c. à thé (5 ml) de vinaigre de vin rouge ou de jus de citron

sauce au poivre de Cayenne

ANALYSE DES ÉLÉMENTS NUTRITIFS PAR PORTION	
Calories	40
Glucides	2 g
Fibres	0 g
Protéines	2 g
Total des matières grasses	3 g
Gras saturés	1 g
Sodium	130 mg
Cholestérol	4 mg

Pour environ 72 boulettes (3 par portion)

Boulettes de viande apéritives

Faites d'abord chauffer le four à 400 °F (200 °C). Plaque à cuisson enduite d'un aérosol de cuisson végétal

1. Faites chauffer l'huile à feu moyen dans une poêle antiadhésive de taille moyenne. Ajoutez l'oignon, l'ail, le sel, le thym et le poivre; faites cuire, en remuant souvent, pendant 5 minutes ou jusqu'à ce que l'oignon ait blondi. Ajoutez en remuant le bouillon de bœuf et la sauce Worcestershire; laissez refroidir quelque peu.

2. Mélangez dans un bol la préparation à l'oignon, le bœuf haché, la chapelure, le persil et l'œuf. Assurez-vous que la préparation est bien liée.

3. Façonnez des boulettes de 1 po (2,5 cm) de diamètre et disposez-les sur une plaque à cuisson. Enfournez-les dans un four déjà chaud et laissez-les cuire pendant 18 à 20 minutes ou jusqu'à ce qu'elles aient doré. Déposez-les ensuite sur un plateau chemisé d'essuie-tout qui en absorberont le surplus de jus.

| 1 c. à soupe (15 ml) d'huile végétale |
| 1 oignon moyen haché fin |
| 2 gousses d'ail hachées |
| ¾ c. à thé (4 ml) de sel |
| ½ c. à thé (2 ml) de thym séché |
| ½ c. à thé (2 ml) de poivre noir frais moulu |
| ½ tasse (125 ml) de bouillon de bœuf à teneur réduite en sodium |
| 2 c. à thé (10 ml) de sauce Worcestershire |
| 2 lb (1 kg) de bœuf haché maigre |
| 1 tasse (250 ml) de chapelure |
| 2 c. à soupe (30 ml) de persil frais haché fin |
| 1 gros œuf légèrement fouetté |

ANALYSE DES ÉLÉMENTS NUTRITIFS PAR PORTION	
Calories	78
Glucides	2 g
Fibres	0 g
Protéines	7 g
Total des matières grasses	4 g
Gras saturés	2 g
Sodium	125 mg
Cholestérol	28 mg

Hors-d'œuvre antipasti

1. Enfilez une olive, un cube de fromage et un carré de poivron sur un cure-dents. Disposez-les joliment dans un plat de service peu profond. Couvrez-les de pellicule plastique et réfrigérez-les jusqu'au moment de servir.

2. Dans un petit bol, fouettez l'huile et le vinaigre balsamique. Versez la vinaigrette sur les kébabs. Poivrez généreusement, parsemez de basilic haché et servez.

24 olives vertes farcies ou Kalamata

8 oz (250 g) de havarti allégé, taillé en dés de ¾ po (2 cm)

1 petit poivron rouge taillé en carrés de 1 po (2,5 cm)

1 petit poivron vert taillé en carrés de 1 po (2,5 cm)

1 c. à soupe (15 ml) d'huile d'olive

1 c. à soupe (15 ml) de vinaigre balsamique

poivre noir frais moulu

2 c. à soupe (30 ml) de basilic ou de persil frais haché

ANALYSE DES ÉLÉMENTS NUTRITIFS PAR PORTION	
Calories	79
Glucides	2 g
Fibres	0 g
Protéines	5 g
Total des matières grasses	5 g
Gras saturés	2 g
Sodium	330 mg
Cholestérol	10 mg

Pour 48 bouchées (3 par portion)

Rondelles de cheddar au poivre

8 oz (250 g) de cheddar allégé, râpé

4 oz (125 g) de fromage à la crème allégé

2 c. à soupe (30 ml) de brandy ou de sherry

¼ tasse (50 ml) de persil frais haché fin

1 c. à soupe (15 ml) de grains de poivre concassés

biscottes Melba

1. À l'aide d'un robot culinaire, mélangez le cheddar, le fromage à la crème et le brandy. Pulsez jusqu'à l'obtention d'une consistance homogène. Versez dans un bol et réfrigérez pendant 3 heures ou jusqu'à ce que la préparation soit ferme.

2. Divisez la préparation en deux et enveloppez chaque moitié de pellicule plastique. Roulez-les sur une surface plane et façonnez-les pour en faire des bûchettes mesurant environ 6 po x 1½ po (15 cm x 4 cm).

3. Déposez le persil et le poivre concassé dans un plat. Déballez les bûchettes de fromage et roulez-les dans le mélange de persil et de poivre de manière à les en enduire uniformément. Remballez-les avec de la pellicule plastique et remettez-les au réfrigérateur jusqu'à ce qu'elles soient fermes.

4. Au moment de servir, taillez chaque bûchette en tranches de ¼ po (0,5 cm) de longueur et disposez les rondelles sur des biscottes Melba.

ANALYSE DES ÉLÉMENTS NUTRITIFS PAR PORTION	
Calories	108
Glucides	8 g
Fibres	1 g
Protéines	6 g
Total des matières grasses	5 g
Gras saturés	3 g
Sodium	260 mg
Cholestérol	16 mg

Pour 8 personnes

Salade César

1. À l'aide d'un robot culinaire, mélangez l'huile, la mayonnaise, le jus de citron, l'eau, la moutarde, l'ail, les filets d'anchois et le poivre; pulsez jusqu'à l'obtention d'une consistance lisse et crémeuse.

2. Déposez la laitue dans un saladier; versez la sauce et touillez légèrement. Ajoutez les croûtons et garnissez de parmesan. Touillez de nouveau. Goûtez et poivrez, s'il le faut. Servez sans tarder.

Croûtons à l'ail

4 tasses (1 l) de cubes de pain croûté de ½ po (1 cm)	
1 c. à soupe (15 ml) d'huile d'olive	
1 gousse d'ail hachée fin	
2 c. à soupe (30 ml) de parmesan frais râpé	

Faites d'abord chauffer le four à 375 °F (190 °C).

Plaque à cuisson

1. Déposez les cubes de pain dans un bol. Mélangez l'huile et l'ail et versez-les sur le pain en touillant. Garnissez de parmesan et touillez de nouveau. Déposez les cubes de pain sur une plaque à cuisson en un seul rang. Faites-les griller dans un four préchauffé, en les remuant à une reprise, pendant 10 minutes environ ou jusqu'à ce qu'ils soient dorés.

ANALYSE DES ÉLÉMENTS NUTRITIFS PAR PORTION	
Calories	177
Glucides	12 g
Fibres	2 g
Protéines	6 g
Total des matières grasses	12 g
Gras saturés	3 g
Sodium	305 mg
Cholestérol	7 mg

¼ tasse (50 ml) d'huile d'olive

2 c. à soupe (30 ml) de mayonnaise allégée

2 c. à soupe (30 ml) de jus de citron frais

2 c. à soupe (30 ml) d'eau

1 c. à thé (5 ml) de moutarde de Dijon

2 gousses d'ail hachées fin

3 filets d'anchois hachés ou 1 c. à soupe (15 ml) de pâte d'anchois

¼ c. à thé (1 ml) de poivre noir frais moulu

1 grosse laitue romaine rompue en bouchées (12 tasses ou environ 3 l)

croûtons à l'ail

⅓ tasse (75 ml) de parmesan frais râpé

Salade d'épinards, de champignons et de carottes

1. Étagez dans un saladier le tiers des épinards hachés, tous les champignons, un autre tiers des épinards hachés, toutes les carottes râpées et le dernier tiers des épinards. Étagez tour à tour le concombre, l'oignon et les raisins. Couvrez et réfrigérez pendant près de 4 heures.

2. Pour la vinaigrette : Dans un bol, mélangez, à l'aide d'un fouet, l'huile, le jus de limette, le miel, la moutarde, le cumin, l'ail, le sel et le poivre. Au moment de servir, nappez la salade et touillez délicatement.

1 sachet (10 oz ou 300 g) de jeunes épinards sans leurs tiges et hachés grossièrement (8 oz ou environ 2 l)

1½ tasse (375 ml) de champignons tranchés

2 tasses (500 ml) de carottes pelées et râpées

1½ tasse (375 ml) de concombre épépiné, taillé en 2 sur le sens de la longueur, en tranches fines

1 petit oignon rouge, en tranches fines

⅓ tasse (75 ml) de raisins de Corinthe

VINAIGRETTE

¼ tasse (50 ml) d'huile d'olive

2 c. à soupe (30 ml) de jus de limette fraîche

1 c. à soupe (15 ml) de miel liquide

2 c. à thé (10 ml) de moutarde de Dijon

¾ c. à thé (4 ml) de cumin moulu

1 gousse d'ail hachée fin

½ c. à thé (2 ml) de sel

½ c. à thé (1 ml) de poivre noir frais moulu

ANALYSE DES ÉLÉMENTS NUTRITIFS PAR PORTION	
Calories	122
Glucides	14 g
Fibres	2 g
Protéines	2 g
Total des matières grasses	7 g
Gras saturés	1 g
Sodium	220 mg
Cholestérol	0 mg

Pour 6 personnes

Salade de chou crémeuse

8 tasses (2 l) de chou vert râpé fin

5 oignons verts tranchés

2 carottes pelées et râpées

2 c. à soupe (30 ml) de persil frais haché

½ tasse (125 ml) de mayonnaise allégée

2 c. à soupe (30 ml) de miel liquide

2 c. à soupe (30 ml) de vinaigre de cidre

1 c. à soupe (15 ml) de moutarde de Dijon

½ c. à thé (2 ml) de graines de céleri (facultatif)

½ c. à thé (2 ml) de sel

¼ c. à thé (1 ml) de poivre noir frais moulu

1. Mélangez le chou, les oignons verts, les carottes et le persil dans un saladier.

2. Dans un autre bol, mélangez la mayonnaise, le miel, le vinaigre, la moutarde, les graines de céleri, le cas échéant, le sel et le poivre. Versez sur la préparation au chou et touillez pour bien la napper de vinaigrette. Réfrigérez jusqu'au moment de servir.

ANALYSE DES ÉLÉMENTS NUTRITIFS PAR PORTION	
Calories	123
Glucides	16 g
Fibres	3 g
Protéines	2 g
Total des matières grasses	7 g
Gras saturés	1 g
Sodium	335 mg
Cholestérol	6 mg

Pour 6 personnes

Salade de pâtes à la grecque

1. Faites cuire les pâtes dans une grande marmite d'eau bouillante salée jusqu'à ce qu'elles soient tendres mais encore un peu craquantes. Jetez-les dans une passoire et rincez-les à l'eau froide pour les faire refroidir. Laissez-les égoutter. Mélangez dans un bol les pâtes, l'oignon, les poivrons rouges, la feta, les olives et le persil.

2. Pour la vinaigrette : Mélangez tous les ingrédients dans un bol, nappez-en les pâtes et touillez afin de les enduire de vinaigrette. Couvrez et réfrigérez. Sortez-les du réfrigérateur 30 minutes avant de les servir.

Réduisez de beaucoup le temps de préparation en employant du tzatziki prêt à servir pour faire cette salade. Il s'agit d'une sauce à base de yogourt, d'ail et de concombre qui, en plus de servir d'accompagnement aux souvlakis, fait également une délicieuse vinaigrette en remplacement de la mayonnaise.

| 8 oz (250 g) de pennes ou de fusillis |
| 1 petit oignon haché |
| 2 poivrons rouges taillés en dés |
| ¾ tasse (175 ml) de feta allégée, en miettes |
| ½ tasse (125 ml) d'olives Kalamata |
| ¼ tasse (50 ml) de persil frais haché |
| VINAIGRETTE |
| ¾ tasse (175 ml) de tzatziki |
| 1 c. à soupe (15 ml) d'huile d'olive |
| 1 c. à soupe (15 ml) de vinaigre de vin rouge |
| 1 c. à thé (5 ml) d'origan séché |
| ¼ c. à thé (1 ml) de poivre noir frais moulu |

Tzatziki

| 3 tasses (750 ml) de yogourt nature allégé |
| 1 tasse (250 ml) de concombre haché fin |
| 1 c. à thé (5 ml) de sel |
| 2 gousses d'ail hachées fin |
| 2 c. à thé (10 ml) de jus de citron frais |

1. Déposez le yogourt dans un filtre à café ou un tamis chemisé de deux essuie-tout posé sur un bol; couvrez et laissez le yogourt s'égoutter au réfrigérateur pendant 4 heures ou jusqu'à ce qu'il en reste l'équivalent de 1½ tasse (375 ml).

2. Déposez le concombre râpé dans un bol et saupoudrez-le de sel. Laissez reposer pendant 20 minutes. Jetez-le dans une passoire pour le faire égoutter, exprimez le surplus d'eau et épongez-le à l'aide d'essuie-tout. Dans un bol, mélangez le yogourt, le concombre, l'ail et le jus de citron.

ANALYSE DES ÉLÉMENTS NUTRITIFS PAR PORTION	
Calories	284
Glucides	41 g
Fibres	4 g
Protéines	12 g
Total des matières grasses	9 g
Gras saturés	3 g
Sodium	570 mg
Cholestérol	9 mg

■ ■ ■ ■ ■ ■

Pour 8 personnes

Riz à la mexicaine et salade de haricots noirs

1. Mélangez le riz, les haricots noirs, le maïs, le poivron rouge et les oignons verts dans un saladier.

2. Pour la vinaigrette : Mélangez dans un bol la crème sure, l'huile d'olive, le jus de limette, l'origan, le cumin et la sauce au poivre de Cayenne. Versez sur la préparation à base de riz et touillez. Couvrez le saladier et mettez-le au réfrigérateur pendant près de 8 heures. Au moment de servir, ajoutez la coriandre en remuant.

2½ tasses (625 ml) de riz basmati cuit

1 boîte (19 oz ou 540 ml) de haricots noirs égouttés et rincés

1 tasse (250 ml) de grains de maïs cuits

1 poivron rouge taillé en dés

4 oignons verts tranchés

VINAIGRETTE

⅓ tasse (75 ml) de crème sure allégée

2 c. à soupe (30 ml) d'huile d'olive

4 c. à thé (20 ml) de jus de limette ou de citron frais

1 c. à thé (5 ml) d'origan séché

1 c. à thé (5 ml) de cumin moulu

½ c. à thé (2 ml) de sauce au poivre de Cayenne

½ tasse (125 ml) de coriandre ou de persil frais haché

ANALYSE DES ÉLÉMENTS NUTRITIFS PAR PORTION	
Calories	185
Glucides	31 g
Fibres	4 g
Protéines	6 g
Total des matières grasses	5 g
Gras saturés	1 g
Sodium	230 mg
Cholestérol	0 mg

Pour 8 personnes

Taboulé

1. Déposez le bulgur dans un bol et couvrez-le d'eau. Laissez reposer pendant 30 minutes. Jetez-le dans une passoire fine afin de l'égoutter. Exprimez autant d'eau que vous le pouvez à l'aide du dos d'une cuillère ou de vos mains.

2. Mélangez le bulgur, le persil, les oignons verts et la menthe, le cas échéant, dans un saladier.

3. Dans un petit bol, mélangez l'huile, le jus de citron, le sel, le paprika et le poivre. Versez sur la préparation à base de bulgur et touillez. Couvrez et réfrigérez jusqu'au moment de servir. Déposez les dés de tomate au dernier moment.

¾ tasse (175 ml) de bulgur fin

2 tasses (500 ml) de persil plat haché fin

4 oignons verts hachés fin

¼ tasse (50 ml) de feuilles de menthe fraîches hachées fin ou 2 c. à soupe (30 ml) de feuilles séchées émiettées (facultatif)

¼ tasse (50 ml) d'huile d'olive

¼ tasse (50 ml) de jus de citron frais

1 c. à thé (5 ml) de sel

½ c. à thé (2 ml) de paprika

¼ c. à thé (1 ml) de poivre noir frais moulu

2 tomates épépinées et taillées en dés

ANALYSE DES ÉLÉMENTS NUTRITIFS PAR PORTION	
Calories	119
Glucides	13 g
Fibres	3 g
Protéines	2 g
Total des matières grasses	7 g
Gras saturés	1 g
Sodium	0 mg
Cholestérol	305 mg

Pour 4 sandwiches

Sandwiches de poulet parfumés au curry

1. Mélangez dans un bol la mayonnaise, le yogourt, le chutney et la pâte de curry. Ajoutez en remuant le poulet, les dés de pomme, le céleri et l'oignon vert.

2. Tartinez 4 tranches de pain avec la garniture au poulet, déposez dessus des feuilles de laitue et les 4 autres tranches de pain. Taillez en deux et servez.

⅓ tasse (75 ml) de mayonnaise allégée

2 c. à soupe (30 ml) de yogourt nature allégé

2 c. à soupe (30 ml) de chutney à la mangue

1 c. à thé (5 ml) de pâte ou de poudre de curry doux

1½ tasse (375 ml) de dés de poulet cuit

½ tasse (125 ml) de dés de pomme non pelée

1 tige de céleri hachée fin

1 gros oignon vert haché fin

8 tranches de pain complet

laitue aux feuilles rouges ou Boston

ANALYSE DES ÉLÉMENTS NUTRITIFS PAR PORTION	
Calories	353
Glucides	39 g
Fibres	5 g
Protéines	22 g
Total des matières grasses	12 g
Gras saturés	2 g
Sodium	650 mg
Cholestérol	53 mg

Pour 6 personnes

Quiche sans croûte aux courgettes

Faites d'abord chauffer le four à 325 °F (160 °C).
Moule à tarte ou à quiche de 10 po (25 cm) enduit de beurre

1. Faites chauffer l'huile à feu moyen-vif dans une grande poêle à frire antiadhésive.
Ajoutez les courgettes, les oignons verts et le poivron rouge; faites cuire en remuant souvent
pendant 5 minutes ou jusqu'à ce que les légumes aient fondu. Laissez refroidir quelque peu.

2. Fouettez les œufs dans un grand bol; ajoutez en remuant la préparation aux courgettes,
le fromage, la chapelure, le sel et le poivre. Versez dans le moule à tarte et faites cuire au
four pendant 35 à 40 minutes ou jusqu'à ce que les œufs aient figé au centre du moule.

2 c. à thé (10 ml) d'huile végétale

3 tasses (750 ml) de courgettes râpées
(avec la pelure), dont le jus a été exprimé

4 oignons verts hachés

1 poivron rouge taillé en dés

6 œufs

¾ tasse (175 ml) de cheddar allégé,
râpé

½ tasse (125 ml) de chapelure

¼ c. à thé (1 ml) de sel

¼ c. à thé (1 ml) de poivre noir
frais moulu

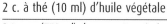

ANALYSE DES ÉLÉMENTS NUTRITIFS PAR PORTION	
Calories	157
Glucides	7 g
Fibres	2 g
Protéines	11 g
Total des matières grasses	10 g
Gras saturés	4 g
Sodium	300 mg
Cholestérol	196 mg

Pour 4 burritos

Burritos aux œufs brouillés et au jambon

Faites d'abord chauffer le four à 350 °F (180 °C).
Plaque à cuisson

1. Déposez les tortillas sur une plaque à cuisson et garnissez-les de fromage. Passez-les au four pendant 5 minutes ou jusqu'à ce que le fromage ait fondu.

2. Entre-temps, mélangez dans un bol les œufs, le lait et le poivre. Faites fondre le beurre dans une grande poêle antiadhésive à feu moyen; faites cuire le jambon et l'oignon vert en remuant pendant 1 minute ou jusqu'à ce que l'oignon ait fondu. Ajoutez les œufs et faites-les cuire en remuant souvent pendant 2 minutes environ ou jusqu'à ce que les œufs aient figé.

3. À l'aide d'une cuillère, déposez la garniture sur le tiers inférieur de chaque tortilla et garnissez-la de salsa. Repliez chaque côté des tortillas (sur 1 po ou 2,5 cm) sur la garniture et, en partant de la face inférieure, enroulez chaque tortilla sur sa garniture. Servez sans tarder.

4 tortillas de 7 po (18 cm)

½ tasse (125 ml) de cheddar allégé, râpé

4 œufs

2 c. à thé (10 ml) de lait faible en gras

1 pincée de poivre noir frais moulu

1 c. à thé (5 ml) de beurre

⅓ tasse (75 ml) de jambon fumé taillé en dés

1 oignon vert tranché

¼ tasse (50 ml) de salsa douce ou moyennement pimentée

ANALYSE DES ÉLÉMENTS NUTRITIFS PAR PORTION	
Calories	251
Glucides	19 g
Fibres	2 g
Protéines	15 g
Total des matières grasses	12 g
Gras saturés	5 g
Sodium	520 mg
Cholestérol	205 mg

Quesadillas au fromage et à la salsa

½ tasse (125 ml) de salsa, plus une quantité supplémentaire pour les garnitures

4 tortillas de 9 po (23 cm)

1 tasse (250 ml) de haricots noirs ou pintos, égouttés et rincés

1 tasse (250 ml) de mozzarella écrémée ou de cheddar allégé, râpé

1. Tartinez 2 c. à soupe (30 ml) de salsa sur la moitié de chaque tortilla. Garnissez de ¼ tasse (50 ml) de haricots et d'autant de fromage. Repliez les tortillas et appuyez dessus légèrement.

2. Faites cuire les tortillas deux à la fois dans une grande poêle antiadhésive à feu moyen, en appuyant légèrement dessus à l'aide d'une spatule de métal, pendant environ 2 minutes par côté ou jusqu'à ce qu'elles aient quelque peu doré et que le fromage ait fondu. Sinon, posez-les sur la grille d'un barbecue à feu moyen jusqu'à ce qu'elles soient légèrement grillées de chaque côté.

3. Taillez-les en quartiers et servez-les chaudes avec davantage de salsa, si vous le voulez.

ANALYSE DES ÉLÉMENTS NUTRITIFS PAR PORTION	
Calories	305
Glucides	37 g
Fibres	6 g
Protéines	16 g
Total des matières grasses	9 g
Gras saturés	4 g
Sodium	625 mg
Cholestérol	20 mg

Pour 4 sandwiches

Sandwiches au rôti de bœuf chaud

Activez le gril du four.
Plaque à cuisson

1. Incisez les petits pains dans le sens de la longueur et ouvrez-les à la manière d'un livre. (Ne les incisez pas dans toute leur profondeur.) Déposez-les sur une plaque à cuisson et faites griller leur mie.

2. Mélangez le fromage à la crème, le yogourt et la moutarde dans un bol; tartinez de cette garniture la mie des petits pains. Posez les tranches de tomate sur la moitié inférieure des pains.

3. Faites chauffer l'huile à feu vif dans une grande poêle antiadhésive; faites cuire le poivron vert, l'oignon, l'ail, les champignons et l'origan en remuant à l'occasion pendant 5 minutes. Ajoutez le bœuf et faites-le cuire en remuant pendant 1 minute ou jusqu'à ce qu'il soit chaud. Poivrez au goût. À l'aide d'une cuillère, farcissez les pains de cette garniture et servez sans tarder.

4 petits pains de grains croûtés
(2 oz ou 60 g chacun)

¼ tasse (50 ml) de fromage
à la crème allégé, amolli

2 c. à soupe (30 ml) de yogourt nature
allégé ou de crème sure allégée

2 c. à soupe (30 ml) de moutarde
de Dijon

2 tomates tranchées fin

2 c. à thé (10 ml) d'huile d'olive

½ poivron vert taillé en fines lanières

1 petit oignon tranché fin

1 grosse gousse d'ail hachée

1 tasse (250 ml) de champignons
tranchés

½ c. à thé (2 ml) d'origan séché

4 oz (125 ml) de rôti de bœuf tranché fin

poivre noir frais moulu

ANALYSE DES ÉLÉMENTS NUTRITIFS PAR PORTION	
Calories	290
Glucides	32 g
Fibres	5 g
Protéines	17 g
Total des matières grasses	11 g
Gras saturés	4 g
Sodium	610 mg
Cholestérol	25 mg

Pour 2 roulés

Roulés à la garniture aux œufs

1. Dans un bol, mélangez le fromage à la crème, le yogourt, la moutarde et le poivre. Ajoutez en remuant les œufs hachés et l'oignon vert.

2. Tartinez la garniture aux œufs sur les tortillas en prévoyant une bordure de 1 po (2,5 cm). Disposez dessus la laitue et les tomates. Repliez la tortilla sur la garniture, scellez la bordure et roulez en serrant bien.

2 c. à soupe (30 ml) de fromage à la crème allégé, amolli

2 c. à soupe (30 ml) de yogourt nature allégé

1 c. à thé (5 ml) de moutarde de Dijon

¼ c. à thé (1 ml) de poivre noir frais moulu

3 œufs durs hachés fin

1 petit oignon vert haché fin

2 tortillas de blé complet (9 po ou 23 cm)

laitue frisée ou romaine

6 tranches de tomate minces

ANALYSE DES ÉLÉMENTS NUTRITIFS PAR PORTION	
Calories	330
Glucides	31 g
Fibres	3 g
Protéines	17 g
Total des matières grasses	14 g
Gras saturés	5 g
Sodium	470 mg
Cholestérol	289 mg

Pour 2 sandwiches

Sandwiches italiens grillés

4 tranches de pain complet croûté ou de pain à base de grains

3 c. à soupe (45 ml) de pesto commercial ou maison

4 tranches (environ 3 oz ou 85 g) de mozzarella écrémée ou de provolone allégé

6 tranches de tomate minces

poivre noir frais moulu

4 c. à thé (20 ml) d'huile d'olive

1. Tartinez les tranches de pain d'un peu de pesto. Posez 1 tranche de fromage sur 2 tranches de pain. Posez dessus les tranches de tomate et poivrez au goût. Garnissez du reste de fromage et des autres tranches de pain. Badigeonnez le dessus des tranches de pain d'un peu d'huile d'olive.

2. Déposez les sandwiches dans une poêle antiadhésive sur leur face badigeonnée d'huile et faites-les griller à feu moyen. Badigeonnez d'huile la face supérieure des sandwiches. Faites-les griller pendant 2 ou 3 minutes par côté ou jusqu'à ce que le pain soit bien doré et que le fromage ait fondu. Taillez en quatre et servez.

ANALYSE DES ÉLÉMENTS NUTRITIFS PAR PORTION	
Calories	396
Glucides	32 g
Fibres	5 g
Protéines	20 g
Total des matières grasses	21 g
Gras saturés	6 g
Sodium	550 mg
Cholestérol	15 mg

Pour 4 fondants

Fondants au thon et au cheddar

Activez le gril du four.
Plaque à cuisson

1. Mélangez dans un bol le thon, la mayonnaise, le céleri, l'oignon vert et le jus de citron.

2. Tartinez la garniture au thon sur les tranches de pain. Posez dessus les tranches de tomate et poivrez. Garnissez de fromage.

3. Disposez les tartines sur une plaque à cuisson et passez-les sous le gril pendant 3 minutes environ ou jusqu'à ce que le fromage ait fondu. Servez sans tarder.

1 boîte (6 oz ou 170 g) de thon égoutté et émietté
¼ tasse (50 ml) de mayonnaise allégée
¼ tasse (50 ml) de céleri haché fin
1 oignon vert haché fin
1 c. à thé (5 ml) de jus de citron frais
4 tranches de pain complet
8 tranches de tomate minces
poivre noir frais moulu
4 oz (125 g) de cheddar allégé, tranché fin ou râpé

ANALYSE DES ÉLÉMENTS NUTRITIFS PAR PORTION	
Calories	255
Glucides	18 g
Fibres	2 g
Protéines	18 g
Total des matières grasses	12 g
Gras saturés	5 g
Sodium	605 mg
Cholestérol	34 mg

Pour 4 personnes

Pizza végétarienne

Faites d'abord chauffer le four à 400 °F (200 °C).
Plaque à cuisson

1. Faites chauffer l'huile à feu moyen-vif dans une grande poêle antiadhésive. Ajoutez l'oignon, l'ail, les champignons, le poivron, le basilic et l'origan; faites cuire en remuant pendant 4 minutes ou jusqu'à ce que les légumes aient fondu.

2. Disposez la croûte à pizza sur la plaque à cuisson et garnissez-la de sauce. Ajoutez la préparation aux légumes et le fromage râpé.

3. Faites cuire dans un four préchauffé pendant 20 à 25 minutes ou jusqu'à ce que le fromage ait fondu.

2 c. à thé (10 ml) d'huile végétale ou d'huile d'olive

1 petit oignon tranché fin

1 grosse gousse d'ail hachée fin

1½ tasse (375 ml) de champignons tranchés

1 poivron rouge ou vert, en fines lanières

½ c. à thé (2 ml) de basilic séché

½ c. à thé (2 ml) d'origan séché

1 croûte à pizza (12 po ou 30 cm) précuite ou une focaccia de 9 x 12 po (23 x 30 cm)

½ tasse (125 ml) de sauce à pizza

1 ½ tasse (375 ml) de fromage allégé, râpé, par exemple de la mozzarella, de la fontina ou du provolone

ANALYSE DES ÉLÉMENTS NUTRITIFS PAR PORTION	
Calories	391
Glucides	46 g
Fibres	4 g
Protéines	20 g
Total des matières grasses	14 g
Gras saturés	5 g
Sodium	700 mg
Cholestérol	15 mg

Pour 4 sandwiches

Garniture au saumon à l'aneth et aux œufs sur pain aux 12 grains

1. Mélangez dans un bol les œufs, le saumon, la mayonnaise, l'oignon vert, l'aneth, le zeste de citron et le poivre.

2. Répartissez la garniture entre les 8 tranches de pain et tartinez-les uniformément. Déposez dessus les tranches de concombre. Servez-les en canapés ou en sandwiches. Taillez-les en deux.

3 œufs durs hachés fin

1 boîte (7½ oz ou 213 g) de saumon sockeye égoutté, émietté

3 c. à soupe (45 ml) de mayonnaise allégée

1 gros oignon vert haché fin

2 c. à soupe (30 ml) d'aneth ou de persil frais haché

1 c. à thé (5 ml) de zeste de citron

¼ c. à thé (1 ml) de poivre noir frais moulu

8 tranches de pain aux 12 grains (environ 1 oz ou 30 g chacune)

½ concombre épépiné, taillé en tranches fines

ANALYSE DES ÉLÉMENTS NUTRITIFS PAR PORTION	
Calories	310
Glucides	30 g
Fibres	5 g
Protéines	20 g
Total des matières grasses	13 g
Gras saturés	3 g
Sodium	605 mg
Cholestérol	162 mg

Veau au paprika

1. Faites chauffer 1 c. à soupe (15 ml) d'huile à feu vif dans une grande poêle antiadhésive; faites sauter le veau en deux lots pendant 3 minutes chacun ou jusqu'à ce que la chair soit dorée à l'extérieur et rosée à l'intérieur. Déposez le veau et son jus de cuisson dans un plat et conservez-le au chaud.

2. Ramenez le feu à la puissance moyenne. Ajoutez le reste de l'huile. Faites cuire les champignons, l'oignon, l'ail, le paprika, la marjolaine, le sel et le poivre en remuant souvent pendant 7 minutes ou jusqu'à ce que les légumes commencent à blondir.

3. Saupoudrez la farine sur la préparation aux champignons et versez le bouillon. Faites cuire en remuant pendant 2 minutes ou jusqu'à épaississement de la sauce. Ajoutez la crème sure en remuant. Remettez le veau et le jus de cuisson dans la poêle et faites cuire pendant 1 minute ou plus, jusqu'à ce qu'il soit bien fumant. Rectifiez l'assaisonnement à l'aide du poivre et servez sans tarder.

4 c. à thé (20 ml) d'huile végétale

1 lb (500 g) d'escalopes de veau de grain ou de surlonge de bœuf désossé, sans le gras, taillé en fines lanières

4 tasses (1 l) de champignons taillés en croix (environ 12 oz ou 375 g)

1 gros oignon taillé en 2 dans le sens de la longueur et tranché fin

2 gousses d'ail hachées fin

4 c. à thé (20 ml) de paprika

½ c. à thé (2 ml) de marjolaine séchée

½ c. à thé (2 ml) de sel

¼ c. à thé (1 ml) de poivre noir frais moulu

1 c. à soupe (15 ml) de farine tout usage

¾ tasse (175 ml) de bouillon de poulet à teneur réduite en sodium

½ tasse (125 ml) de crème sure allégée

poivre noir frais moulu

ANALYSE DES ÉLÉMENTS NUTRITIFS PAR PORTION	
Calories	207
Glucides	14 g
Fibres	3 g
Protéines	29 g
Total des matières grasses	4 g
Gras saturés	1 g
Sodium	545 mg
Cholestérol	89 mg

Sauté de bœuf et de brocoli

1. Dans un bol, touillez les lanières de bœuf, la sauce hoisin, l'ail et le gingembre. Laissez mariner à température ambiante pendant 15 minutes. (Couvrez et réfrigérez si vous préparez ce plat à l'avance.)

2. Dans une tasse à mesurer, mélangez le zeste et le jus d'orange, la sauce soja, la fécule de maïs et les flocons de poivre de Cayenne.

3. Faites chauffer l'huile à feu vif dans une grande poêle à frire antiadhésive; faites cuire le bœuf en remuant pendant 2 minutes ou jusqu'à ce qu'il ne soit plus rosé. Déposez-le dans une assiette de service.

4. Ajoutez le brocoli et le mélange de sauce soja dans la poêle à frire; ramenez le feu à la puissance moyenne, couvrez et laissez cuire pendant 2 à 3 minutes ou jusqu'à ce que le brocoli soit cuit mais encore craquant. Ajoutez le bœuf et son jus et les oignons verts; faites cuire en remuant pendant 1 minute ou jusqu'à ce que tout soit bien chaud.

1 lb (500 g) de surlonge de bœuf désossé, sans gras, taillé en fines lanières

2 c. à soupe (30 ml) de sauce hoisin

2 gousses d'ail hachées fin

1 c. à soupe (15 ml) de gingembre haché

1 c. à thé (5 ml) de zeste d'orange

½ tasse (125 ml) de jus d'orange

2 c. à soupe (30 ml) de sauce soja à teneur réduite en sodium

2 c. à thé (10 ml) de fécule de maïs

¼ c. à thé (1 ml) de flocons de poivre de Cayenne

1 c. à soupe (15 ml) d'huile végétale

6 tasses (1,5 l) de petits bouquets de brocoli et de tiges pelées et hachées (environ 1 gros plant)

4 oignons verts hachés fin

ANALYSE DES ÉLÉMENTS NUTRITIFS PAR PORTION	
Calories	288
Glucides	17 g
Fibres	4 g
Protéines	23 g
Total des matières grasses	8 g
Gras saturés	2 g
Sodium	440 mg
Cholestérol	45 mg

Pour 4 personnes

Poulet rôti dans l'heure parfumé à la sauge et à l'ail

Faites d'abord chauffer le four à 400 °F (200 °C).
Lèchefrite dotée d'une clayette enduite d'un aérosol de cuisson végétal

1. Enlevez les abattis et le cou du poulet. Rincez-le et épongez-le à l'aide d'essuie-tout; à l'intérieur comme à l'extérieur. À l'aide de ciseaux de cuisine résistants, découpez le poulet le long de sa colonne vertébrale; appuyez sur les os de la cage thoracique afin de l'aplatir quelque peu et déposez-le sur les os sur la clayette de la lèchefrite.

2. Dans un bol, mélangez le beurre, l'ail, le zeste de citron, le sel et le poivre. Soulevez délicatement la peau du poulet; à l'aide d'un couteau ou d'une spatule, tartinez le beurre épicé sur la chair des poitrines et des cuisses. Appuyez sur la peau afin de répartir le beurre sur toute la chair.

3. Dans un petit bol, mélangez l'huile d'olive et le paprika; badigeonnez-en le poulet.

4. Faites cuire le poulet pendant 1 heure ou jusqu'à ce que les jus s'en échappent et qu'un thermomètre introduit dans la chair des cuisses indique 185 °F (85 °C). Déposez le poulet dans une assiette de service. Couvrez-le de papier d'aluminium et laissez-le reposer pendant 5 minutes avant de le découper.

(4 oz ou 125 g sans la peau par portion)

1 poulet (environ 3 ½ lb ou 1,75 kg)

1 c. à soupe (15 ml) de beurre amolli

2 gousses d'ail hachées fin

1 c. à soupe (15 ml) de sauge fraîche hachée fin ou 1 c. à thé (5 ml) de sauge séchée

1½ c. à thé (7 ml) de zeste de citron

½ c. à thé (2 ml) de sel

½ c. à thé (2 ml) de poivre noir frais moulu

2 c. à thé (10 ml) d'huile d'olive

¼ c. à thé (1 ml) de paprika

ANALYSE DES ÉLÉMENTS NUTRITIFS PAR PORTION	
Calories	256
Glucides	1 g
Fibres	0 g
Protéines	36 g
Total des matières grasses	11 g
Gras saturés	3 g
Sodium	415 mg
Cholestérol	116 mg

Pour 8 personnes

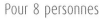

Agneau rôti au romarin et pommes de terre nouvelles

Faites d'abord chauffer le four à 350 °F (180 °C).
Rôtissoire peu profonde dotée d'une clayette enduite d'un aérosol de cuisson végétal

1. Taillez 6 gousses d'ail en 8 ou 10 pointes chacune. À l'aide de l'extrémité d'un couteau, pratiquez des incisions peu profondes dans la chair du gigot et introduisez 1 pointe d'ail dans chacune.

2. Hachez fin les 2 gousses d'ail qui restent. Dans un bol, mélangez l'ail, le zeste et le jus de citron, l'huile, le romarin, le sel et le poivre. Déposez le gigot dans la rôtissoire apprêtée, entourez-le de pommes de terre. Badigeonnez le gigot et les pommes de terre d'une généreuse quantité de préparation au citron et à l'ail. Introduisez le thermomètre à viande dans la partie la plus épaisse du gigot.

3. Faites cuire dans un four préchauffé pendant 90 minutes en retournant les pommes de terre en milieu de cuisson, et ce, jusqu'à ce que le thermomètre à viande indique 135 °F (57 °C) pour une viande mi-rosée. (Si vous préférez que la viande soit à point, enlevez les pommes de terre et continuez la cuisson du gigot pendant 15 à 20 minutes, selon vos préférences.)

4. Déposez le gigot sur une assiette de service, couvrez-le de papier d'aluminium et laissez-le reposer pendant 10 minutes avant de le trancher. Déposez les pommes de terre dans un bol et conservez-les au chaud.

5. Enlevez la graisse de la rôtissoire et posez cette dernière sur un feu moyen. Ajoutez la farine en remuant et faites cuire en remuant jusqu'à ce qu'elle ait quelque peu bruni. Versez le vin, faites cuire en raclant le fond de la rôtissoire jusqu'à ce que le vin ait réduit de moitié. Ajoutez le bouillon en remuant, amenez à ébullition en remuant jusqu'à ce que la sauce épaississe. Tamisez la sauce avant de la passer dans une saucière chaude.

6. Tranchez le gigot. Disposez les tranches sur une assiette de service et nappez-les d'un peu de sauce; entourez-les de pommes de terre rôties. Servez la sauce qui reste en accompagnement.

(4 oz ou 125 g de viande maigre par portion avec 3 c. à soupe ou 45 ml de sauce et 1 tasse ou 250 ml de pommes de terre)

1 gigot d'agneau (environ 5 à 6 lb ou 2,5 à 3 kg)

8 gousses d'ail

le zeste et le jus d'un citron

2 c. à soupe (30 ml) d'huile d'olive

2 c. à soupe (30 ml) de romarin frais haché ou 1 c. à soupe (15 ml) de romarin séché en miettes

½ c. à thé (2 ml) de sel

½ c. à thé (2 ml) de poivre noir frais moulu

12 pommes de terre nouvelles, entières, brossées (environ 3 lb ou 1,5 kg)

1 c. à soupe (15 ml) de farine tout usage

½ tasse (125 ml) de vin blanc

1 tasse (250 ml) de bouillon de poulet à teneur réduite en sodium

ANALYSE DES ÉLÉMENTS NUTRITIFS PAR PORTION	
Calories	374
Glucides	31 g
Fibres	3 g
Protéines	35 g
Total des matières grasses	12 g
Gras saturés	4 g
Sodium	325 mg
Cholestérol	113 mg

Pour 8 personnes

Doigts de poulet au parmesan

Faites d'abord chauffer le four à 400 °F (200 °C).
Plaque à cuisson dotée d'une clayette enduite d'un aérosol de cuisson végétal

1. Mélangez à l'aide d'un robot culinaire les craquelins, le parmesan, le basilic, la marjolaine, le paprika, le sel et le poivre. Pulsez jusqu'à l'obtention d'une chapelure fine que vous verserez dans un bol peu profond.

2. Taillez chaque poitrine de poulet en 4 lanières. Fouettez l'œuf et l'ail dans un bol et ajoutez-y les lanières de poulet. À l'aide d'une fourchette, trempez les lanières de poulet dans la chapelure afin de les en enduire. Disposez-les sur la clayette posée sur la plaque à cuisson.

3. Faites cuire dans un four préchauffé pendant 14 à 18 minutes ou jusqu'à ce que le poulet ne soit plus rosé en son centre. (Si les doigts sont congelés, la cuisson peut se prolonger jusqu'à 25 minutes.)

(2 doigts par personne)

½ tasse (125 ml) de chapelure fine faite à partir de craquelins (environ 16)

⅓ tasse (75 ml) de parmesan frais râpé

½ c. à thé (2 ml) de basilic séché

½ c. à thé (2 ml) de marjolaine séchée

½ c. à thé (2 ml) de paprika

½ c. à thé (2 ml) de sel

¼ c. à thé (1 ml) de poivre noir frais moulu

4 poitrines de poulet désossées, sans la peau

1 œuf

1 gousse d'ail hachée fin

ANALYSE DES ÉLÉMENTS NUTRITIFS PAR PORTION	
Calories	115
Glucides	3 g
Fibres	0 g
Protéines	18 g
Total des matières grasses	3 g
Gras saturés	1 g
Sodium	245 mg
Cholestérol	59 mg

Pour 4 personnes

Curry minute à la dinde

1. Faites chauffer l'huile à feu moyen dans une grande poêle antiadhésive. Ajoutez l'oignon, l'ail, le gingembre, la pomme, le céleri et la pâte de curry; faites cuire en remuant pendant 5 minutes ou jusqu'à ce que l'oignon et les pommes aient fondu.

2. Ajoutez la farine en remuant, puis le bouillon de poulet et le chutney. Faites cuire en remuant jusqu'à ce que la sauce commence à bouillir et à épaissir. Ajoutez en remuant les dés de dinde et les raisins et poivrez au goût. Faites cuire pendant 3 minutes ou jusqu'à ce que le plat soit fumant.

| 2 c. à thé (10 ml) d'huile végétale |
| 1 petit oignon haché |
| 1 grosse gousse d'ail hachée fin |
| 2 c. à thé (10 ml) de gingembre frais haché |
| 1 pomme pelée et hachée |
| ½ tasse (125 ml) de céleri en dés fins |
| 2 c. à thé (10 ml) de pâte ou de poudre de curry doux |
| 1 c. à soupe (15 ml) de farine tout usage |
| 1⅓ tasse (325 ml) de bouillon de poulet à teneur réduite en sodium |
| 3 c. à soupe (45 ml) de chutney à la mangue |
| 2 tasses (500 ml) de dinde en dés ou de poulet cuits |
| ¼ tasse (50 ml) de raisins |
| poivre noir frais moulu |

■ ■ ■ ■ ■ ■ ■

ANALYSE DES ÉLÉMENTS NUTRITIFS PAR PORTION	
Calories	266
Glucides	28 g
Fibres	2 g
Protéines	23 g
Total des matières grasses	7 g
Gras saturés	1 g
Sodium	510 mg
Cholestérol	53 mg

Pour 4 personnes

Schnitzel aux fines herbes

1. Épongez les escalopes à l'aide d'essuie-tout; salez et poivrez.

2. À l'aide d'un robot culinaire, pulsez la chapelure, le persil et les herbes de Provence.

3. Versez la farine, les œufs battus et la chapelure dans trois bols peu profonds. Au moment de la cuisson, farinez les escalopes et secouez-les pour en enlever l'excédent; trempez-les dans les œufs et enrobez-les de chapelure.

4. Faites chauffer 1½ c. à thé (7 ml) d'huile et autant de beurre à feu moyen-vif dans une grande poêle antiadhésive. Faites cuire les escalopes par lots pendant 1 minute 30 secondes de chaque côté ou jusqu'à ce qu'elles soient dorées. Essuyez la surface de la poêle à frire à l'aide d'essuie-tout avant de faire cuire le deuxième lot. Déposez les escalopes dorées sur une plaque à cuisson et conservez-les dans le four chaud pendant que vous faites cuire les autres. Servez-les avec des quartiers de citron.

(2 escalopes par portion)

1 lb (500 g) d'escalopes de veau ou de dinde (8 escalopes minces)

½ c. à thé (2 ml) de sel

½ c. à thé (2 ml) de poivre noir frais moulu

1 tasse (250 ml) de chapelure

⅓ tasse (75 ml) de persil frais haché

¾ c. à thé (4 ml) d'herbes de Provence ou de thym séché

⅓ tasse (75 ml) de farine tout usage

2 œufs battus

2 c. à soupe (30 ml) de beurre

2 c. à soupe (30 ml) d'huile végétale (environ)

quartiers de citron

ANALYSE DES ÉLÉMENTS NUTRITIFS PAR PORTION	
Calories	300
Glucides	19 g
Fibres	1 g
Protéines	29 g
Total des matières grasses	11 g
Gras saturés	3 g
Sodium	570 mg
Cholestérol	158 mg

61

Pour 6 personnes

Côtelettes de porc au four avec du rutabaga et des pommes

Faites d'abord chauffer le four à 350 °F (180 °C).
Plat de cuisson de 13 x 9 po (3 l)

1. Pelez et taillez le rutabaga en quartiers, puis taillez-le en tranches de ¼ po (0,5 cm) et disposez-les au fond du plat de cuisson.

2. Mettez la farine dans un sac de plastique robuste, puis les morceaux de porc par lots afin de les fariner; secouez-les pour enlever l'excédent de farine et mettez de côté la farine qui reste.

3. Faites chauffer 15 ml (1 c. à soupe) d'huile à feu moyen-vif dans une grande poêle anti-adhésive; faites dorer le porc légèrement des deux côtés. Déposez les côtelettes sur les tranches de rutabaga et garnissez-les de pommes.

4. Versez l'huile qui reste dans la poêle à frire et ramenez le feu à la puissance moyenne. Ajoutez l'oignon, le gingembre, le cumin, la coriandre, le sel, le poivre, la cannelle et la muscade; faites cuire en remuant pendant 3 minutes ou jusqu'à ce que l'oignon ait fondu. Versez le jus de pomme dans le plat de cuisson.

5. Couvrez et faites cuire au four pendant 1 heure ou jusqu'à ce que le rutabaga soit tendre.

(1 côtelette par portion)

1 rutabaga (1¼ lb ou 750 g)

¼ tasse (50 ml) de farine tout usage

1 lb (500 g) de côtelettes de porc maigre désossées (environ 6)

2 c. à soupe (30 ml) d'huile végétale

2 grosses pommes pelées, épépinées et tranchées

1 oignon taillé en 2 dans le sens de la longueur, puis en fins quartiers

2 c. à soupe (30 ml) de gingembre frais haché fin

1 c. à thé (5 ml) de cumin moulu

1 c. à thé (5 ml) de coriandre moulue

½ c. à thé (2 ml) de sel

¼ c. à thé (1 ml) de poivre noir frais moulu

¼ c. à thé (1 ml) de cannelle moulue

¼ c. à thé (1 ml) de muscade fraîche râpée

1 tasse (250 ml) de jus de pomme

1 c. à soupe (15 ml) de cassonade bien tassée

■ ■ ■ ■ ■ ■ ■

ANALYSE DES ÉLÉMENTS NUTRITIFS PAR PORTION	
Calories	284
Glucides	30 g
Fibres	4 g
Protéines	18 g
Total des matières grasses	11 g
Gras saturés	2 g
Sodium	245 mg
Cholestérol	45 mg

Morue aux champignons et à la tomate

Faites d'abord chauffer le four à 375 °F (190 °C).
Plat de cuisson de 8 po² (2 l)

1. Disposez les filets de poisson les uns à côté des autres dans le plat de cuisson et poivrez-les. Ajoutez dessus les champignons, la tomate, les oignons verts et l'aneth. Versez le vin blanc. Faites cuire au four pendant 20 à 25 minutes ou jusqu'à ce que la chair du poisson soit opaque et s'émiette à la fourchette.

2. Sortez du four; versez délicatement le jus de cuisson dans une petite casserole. (Posez une grande assiette ou un couvercle sur le plat de cuisson.) Retournez le poisson au four que vous aurez éteint afin qu'il reste chaud.

3. Dans un bol, délayez la fécule de maïs avec 2 c. à soupe (30 ml) d'eau froide; ajoutez la demi-crème en remuant. Versez dans la casserole que vous poserez sur un feu moyen. Faites cuire en remuant à l'aide d'un fouet jusqu'à ce que la sauce atteigne le point d'ébullition et commence à épaissir. Poivrez au goût. (La sauce doit être épaisse.) Versez sur le poisson et servez.

1 paquet (14 oz ou 400 g) de filets de morue, de sole, de turbot ou d'aiglefin surgelés que vous aurez fait décongeler
poivre noir frais moulu

1½ tasse (375 ml) de champignons tranchés

1 grosse tomate épépinée en dés

2 oignons verts tranchés

2 c. à soupe (30 ml) d'aneth ou de persil frais haché

⅓ tasse (75 ml) de vin blanc sec ou de fond de poisson

1 c. à soupe (15 ml) de fécule de maïs

⅓ tasse (75 ml) de demi-crème (10 %)

ANALYSE DES ÉLÉMENTS NUTRITIFS PAR PORTION	
Calories	135
Glucides	6 g
Fibres	1 g
Protéines	19 g
Total des matières grasses	3 g
Gras saturés	1 g
Sodium	240 mg
Cholestérol	49 mg

Pour 4 personnes

Saumon en sauce au citron et au gingembre

Faites d'abord chauffer le four à 425 °F (220 °C).
Plat de cuisson peu profond

1. Déposez les filets de saumon les uns à côté des autres dans le plat de cuisson.

2. Pour la marinade : Hachez les oignons verts et mettez les queues de côté en prévision de la garniture. Dans un bol, mélangez le blanc des oignons, le gingembre, l'ail, la sauce soja, le zeste et le jus de citron, le sucre et l'huile de sésame. Versez la marinade sur le saumon et laissez mariner à température ambiante pendant 15 minutes ou au réfrigérateur pendant près de 1 heure.

3. Faites cuire à découvert dans un four préchauffé pendant 13 à 15 minutes ou jusqu'à ce que la chair du saumon devienne opaque. Déposez les filets dans des assiettes de service, nappez-les de sauce à l'aide d'une cuillère et garnissez-les des queues d'oignons verts hachées.

4 filets de saumon de 5 oz (150 g) chacun

Marinade

2 oignons verts

1½ c. à thé (7 ml) de gingembre frais haché fin

1 gousse d'ail hachée fin

2 c. à soupe (30 ml) de sauce soja à teneur réduite en sodium

1 c. à thé (5 ml) de zeste de citron

1 c. à soupe (15 ml) de jus de citron frais

1 c. à thé (5 ml) de sucre granulé

1 c. à thé (5 ml) d'huile de sésame

ANALYSE DES ÉLÉMENTS NUTRITIFS PAR PORTION	
Calories	286
Glucides	3 g
Fibres	0 g
Protéines	29 g
Total des matières grasses	17 g
Gras saturés	3 g
Sodium	320 mg
Cholestérol	80 mg

Pour 4 personnes

Poisson enrobé d'amandes

½ tasse (125 ml) de chapelure

⅓ tasse (75 ml) d'amandes blanchies
effilées

½ c. à thé (2 ml) d'estragon
ou de basilic séché

½ c. à thé (2 ml) de zeste d'orange
ou de citron

1 lb (500 g) de filets de poisson tel
que la sole, l'aiglefin ou le turbot

poivre noir frais moulu

quartiers de citron

Faites d'abord chauffer le four à 425 °F (220 °C).
Plaque à cuisson enduite d'un aérosol de cuisson végétal

1. À l'aide d'un robot culinaire, mélangez la chapelure, les amandes, l'estragon et le zeste d'orange. Pulsez par à-coups jusqu'à ce que les amandes soient hachées fin.

2. Enveloppez les filets de poisson dans des essuie-tout afin d'absorber l'excédent d'eau. Disposez les filets sur la plaque à cuisson les uns à côté des autres. Poivrez-les. Saupoudrez la chapelure sur les filets et tapotez-les délicatement pour bien les en enduire.

3. Faites cuire dans un four préchauffé pendant 8 à 10 minutes ou jusqu'à ce que le poisson s'émiette. (Le temps de cuisson est fonction de l'épaisseur des filets; allongez-le en conséquence.) Servez avec des quartiers de citron.

ANALYSE DES ÉLÉMENTS NUTRITIFS PAR PORTION	
Calories	166
Glucides	4 g
Fibres	1 g
Protéines	24 g
Total des matières grasses	6 g
Gras saturés	1 g
Sodium	125 mg
Cholestérol	60 mg

Pour 8 personnes

Pesto au basilic

1. Mélangez le basilic, l'ail et les pignons à l'aide d'un robot culinaire. Alors que l'appareil fonctionne, versez un filet d'huile et pulsez jusqu'à obtention d'une consistance homogène. Ajoutez un peu plus d'huile si le pesto semble sec.

2. Ajoutez le parmesan en remuant et poivrez au goût. Versez dans un petit contenant, couvrez d'une fine couche d'huile et réfrigérez.

Le pesto se conserve bien au réfrigérateur dans un petit contenant hermétique pendant près d'une semaine ou au congélateur pendant près d'un mois.

(1 c. à soupe ou 15 ml par portion)

1½ tasse (375 ml) de feuilles de basilic frais légèrement tassées

2 gousses d'ail hachées grossièrement

2 c. à soupe (30 ml) de pignons ou de noix légèrement grillées

¼ tasse (50 ml) d'huile d'olive (environ)

¼ tasse (50 ml) de parmesan frais râpé

poivre noir frais moulu

ANALYSE DES ÉLÉMENTS NUTRITIFS PAR PORTION	
Calories	89
Glucides	1 g
Fibres	0 g
Protéines	2 g
Total des matières grasses	9 g
Gras saturés	2 g
Sodium	60 mg
Cholestérol	2 mg

Pour 6 personnes

Spaghettis aux boulettes de viande

| 3 tasses (750 ml) de sauce tomate |
| 24 boulettes de viande |
| 12 oz (375 g) de spaghettis ou de pâtes longues |
| ⅓ tasse (75 ml) de parmesan frais râpé |

1. Mélangez la sauce tomate et les boulettes de viande dans une grande casserole; amenez à ébullition. Réduisez l'intensité du feu, couvrez et faites mijoter pendant 15 minutes.

2. Faites cuire les pâtes dans une grande marmite d'eau salée jusqu'à ce qu'elles soient cuites mais encore fermes. Égouttez-les et touillez-les dans la sauce. Servez dans des bols et garnissez de parmesan râpé.

Mode de cuisson des pâtes

On peut gâter un plat de pâtes si l'on ne sait pas comment les cuire comme il se doit. L'erreur la plus répandue consiste à ne pas employer suffisamment d'eau pour la cuisson, de sorte qu'elles ne cuisent pas de façon uniforme ou collent ensemble.

Afin de cuire de 8 à 12 oz (250 à 375 g) de pâtes : amenez à grande ébullition 12 tasses (3 l) d'eau dans une grande marmite. Ajoutez 1 c. à thé (5 ml) de sel et toutes les pâtes d'un seul trait (n'ajoutez pas d'huile). Remuez sans tarder pour empêcher les pâtes de coller au fond de la marmite. Couvrez afin que l'eau retrouve rapidement le point d'ébullition. Par la suite, enlevez le couvercle et remuez de temps en temps. Goûtez pour voir si les pâtes sont al dente. Mettez-les à égoutter sans tarder. À moins d'indications contraires, il ne faut jamais rincer les pâtes, ce qui les refroidit et les prive de la fécule qui permet à la sauce d'y adhérer. Remettez-les dans la marmite ou dans un bol chaud, versez la sauce et touillez jusqu'à ce qu'elles en soient bien imprégnées. Servez sans plus tarder.

ANALYSE DES ÉLÉMENTS NUTRITIFS PAR PORTION	
Calories	436
Glucides	60 g
Fibres	5 g
Protéines	25 g
Total des matières grasses	11 g
Gras saturés	4 g
Sodium	575 mg
Cholestérol	52 mg

Pour 6 personnes

Poulet tetrazzini

Faites d'abord chauffer le four à 350 °F (180 °C).
Plat de cuisson de 13 x 9 po (3 l) enduit d'un aérosol de cuisson végétal

1. Faites fondre le beurre dans une grande casserole à feu moyen-vif. Ajoutez les champignons, les oignons verts et le basilic; faites cuire pendant 4 minutes ou jusqu'à ce que les légumes aient fondu. Dans un bol, mélangez la farine et 75 ml (⅓ tasse) de bouillon de manière à faire une pâte lisse; ajoutez en remuant le reste du bouillon. Versez dans la casserole; amenez à ébullition en remuant jusqu'à épaississement. Ajoutez la demi-crème, le sherry et le poulet; faites cuire à feu moyen pendant 2 à 3 minutes ou jusqu'à ce que tout soit fumant. Retirez du feu. Ajoutez en remuant la moitié du parmesan et poivrez au goût.

2. Faites cuire les pâtes dans une marmite d'eau bouillante salée jusqu'à ce qu'elles soient cuites mais encore fermes. Faites-les égoutter et retournez-les dans la marmite; ajoutez la préparation au poulet et touillez afin de bien les en enduire.

3. À l'aide d'une cuillère, déposez la préparation dans le plat de cuisson. Garnissez avec le reste de parmesan. Faites cuire au four pendant 30 à 35 minutes ou jusqu'à ce que le plat soit bien chaud. (Si le plat a été réfrigéré, allongez de 10 minutes le temps de cuisson.)

1 c. à soupe (15 ml) de beurre

8 oz (250 g) de champignons tranchés

4 oignons verts hachés fin

1 c. à thé (5 ml) de basilic séché

¼ tasse (50 ml) de farine tout usage

2 tasses (500 ml) de bouillon de poulet à teneur réduite en sodium

½ tasse (125 ml) de demi-crème (10 %)

¼ tasse (50 ml) de sherry moyennement sec

2 tasses (500 ml) de dés de dinde ou de poulet cuits

½ tasse (125 ml) de parmesan frais râpé

poivre noir frais moulu

8 oz (250 g) de nouilles aux œufs larges

ANALYSE DES ÉLÉMENTS NUTRITIFS PAR PORTION	
Calories	376
Glucides	39 g
Fibres	4 g
Protéines	26 g
Total des matières grasses	12 g
Gras saturés	5 g
Sodium	590 mg
Cholestérol	99 mg

Pour 6 personnes

Macaroni au fromage rapido presto

1. Dans une grande casserole, fouettez ¼ tasse (50 ml) de lait et la farine de manière à former une pâte lisse; ajoutez en remuant le reste de lait jusqu'à obtention d'une consistance homogène. Posez la casserole sur un feu moyen et faites cuire en remuant jusqu'à ce que la préparation vienne à ébullition et épaississe. À feu doux, ajoutez en remuant les fromages et la moutarde. Faites cuire en remuant jusqu'à ce que les fromages aient fondu. Assaisonnez d'une pincée de poivre de Cayenne; conservez au chaud.

2. Faites cuire les pâtes dans une marmite d'eau bouillante salée jusqu'à ce qu'elles soient cuites mais fermes. Faites-les égoutter et ajoutez en remuant la préparation au fromage. Faites cuire pendant 1 minute ou jusqu'à ce que les pâtes soient imprégnées de sauce. Servez sans tarder.

2 c. à soupe (30 ml) de farine tout usage

1½ tasse (375 ml) de lait écrémé

1½ tasse (375 ml) de cheddar allégé, râpé

¼ tasse (50 ml) de parmesan frais râpé

1 c. à thé (5 ml) de moutarde de Dijon

poivre de Cayenne

2 tasses (500 ml) de macaronis

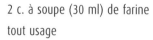

ANALYSE DES ÉLÉMENTS NUTRITIFS PAR PORTION	
Calories	269
Glucides	32 g
Fibres	2 g
Protéines	15 g
Total des matières grasses	8 g
Gras saturés	5 g
Sodium	460 mg
Cholestérol	24 mg

Pour 8 personnes

Lasagne simplissime

Faites d'abord chauffer le four à 350 °F (180 °C).
Plat de cuisson de 13 x 9 po (3 l) enduit d'un aérosol de cuisson végétal

1. Dans un bol, mélangez la ricotta, les œufs et le parmesan. Assaisonnez de poivre et de muscade.

2. En fonction de la consistance de la sauce tomate, ajoutez environ ¾ tasse (175 ml) d'eau afin de l'allonger. (Les nouilles cuites à l'avance absorbent davantage d'eau en cours de cuisson.)

3. À l'aide d'une cuillère, déposez ½ tasse (125 ml) de sauce au fond du plat de cuisson. Posez dessus 3 lasagnes. Versez dessus ¾ tasse (175 ml) de sauce et ensuite le tiers de la préparation à la ricotta. Refaites la même chose pour 2 autres étages de pâtes, de sauce et de ricotta. Posez enfin le dernier étage de pâtes et nappez-les de la sauce qui reste. Garnissez le tout de mozzarella râpée.

4. Faites cuire sans couvrir dans un four préchauffé pendant 45 minutes ou jusqu'à ce que le fromage soit fondu et que la sauce bouillonne.

| 2 tasses (500 ml) de ricotta allégée |
| 2 œufs battus |
| ⅓ tasse (75 ml) de parmesan frais râpé |
| ¼ c. à thé (1 ml) de poivre noir frais moulu |
| ¼ c. à thé (1 ml) de muscade fraîche moulue |
| 12 lasagnes prêtes pour le four |
| 1 bocal (26 oz ou 700 ml) de sauce tomate |
| 1½ tasse (375 ml) de mozzarella écrémée, râpée |

ANALYSE DES ÉLÉMENTS NUTRITIFS PAR PORTION	
Calories	332
Glucides	31 g
Fibres	2 g
Protéines	21 g
Total des matières grasses	13 g
Gras saturés	7 g
Sodium	670 mg
Cholestérol	82 mg

Pour 6 personnes

Pennes au four avec saucisses italiennes et poivrons doux

Faites d'abord chauffer le four à 350 °F (180 °C).
Plat de cuisson de 13 x 9 po (3 l) enduit d'un aérosol de cuisson végétal

1. Piquez les saucisses à l'aide d'une fourchette. Faites chauffer l'huile à feu moyen-vif dans un grand faitout ou une casserole; faites cuire les saucisses pendant 5 minutes ou jusqu'à ce qu'elles soient bien dorées. (Elles ne seront pas cuites complètement.) Retirez-les du faitout, tranchez-les et mettez-les de côté.

2. Enlevez le gras du faitout. Ajoutez les poivrons, l'oignon, l'ail, le basilic, l'origan, le sel et les flocons de piment de Cayenne; faites cuire en remuant souvent pendant 7 minutes ou jusqu'à ce que les légumes aient fondu.

3. Remettez les tranches de saucisses dans le faitout avec les tomates en conserve et leur jus. Amenez à ébullition; ramenez le feu à moyen-doux; couvrez et laissez mijoter en remuant de temps en temps pendant 20 minutes. Ajoutez le persil en remuant.

4. Entre-temps, faites cuire les pâtes dans une grande marmite d'eau bouillante salée jusqu'à ce qu'elles soient cuites mais encore fermes. Laissez-les égoutter. Déposez la moitié des pâtes dans le plat de cuisson, puis la moitié de la sauce. Déposez l'autre moitié des pâtes et enfin l'autre moitié de la sauce.

5. Dans un bol, mélangez la mozzarella et le parmesan afin d'en garnir le dessus du plat. Faites cuire sans couvrir dans un four préchauffé pendant 30 à 35 minutes ou jusqu'à ce que le fromage ait fondu et soit doré.

1 c. à soupe (15 ml) d'huile d'olive

8 oz (250 g) de saucisses italiennes à la dinde douces ou pimentées

3 poivrons (de différentes couleurs)

1 gros oignon taillé dans le sens de la longueur et tranché fin

2 gousses d'ail hachées fin

1 c. à thé (5 ml) de basilic séché

1 c. à thé (5 ml) d'origan séché

½ c. à thé (2 ml) de flocons de piment de Cayenne ou au goût

1 boîte (28 oz ou 796 ml) de tomates italiennes et leur jus, hachées

¼ tasse (50 ml) de persil frais haché

12 oz (375 g) de pennes ou d'une autre pâte courte et creuse

1 tasse (250 ml) de mozzarella écrémée, râpée

¼ tasse (50 ml) de parmesan frais râpé

ANALYSE DES ÉLÉMENTS NUTRITIFS PAR PORTION	
Calories	432
Glucides	60 g
Fibres	5 g
Protéines	24 g
Total des matières grasses	11 g
Gras saturés	4 g
Sodium	675 mg
Cholestérol	57 mg

Pour 4 personnes

Ragoût vite fait de poulet et légumes

1. Faites chauffer l'huile à feu moyen dans un faitout ou une grande casserole. Ajoutez l'oignon, l'ail et les herbes italiennes; faites cuire en remuant pendant 4 minutes ou jusqu'à ce qu'ils aient quelque peu blondi.

2. Dans un bol, enduisez le poulet de farine jusqu'à ce qu'il soit bien fariné. Déposez le poulet dans le faitout avec le reste de farine; ajoutez le bouillon en remuant. Amenez à ébullition et faites cuire en remuant jusqu'à ce que la sauce épaississe. Réduisez le feu, couvrez et laissez mijoter pendant 20 minutes en remuant de temps en temps.

3. Ajoutez les légumes surgelés et retournez au point d'ébullition. Poivrez au goût. Réduisez l'intensité du feu, couvrez et laissez mijoter pendant 10 minutes ou jusqu'à ce que le poulet et les légumes soient tendres.

2 c. à thé (10 ml) d'huile végétale

1 gros oignon haché

2 gousses d'ail hachées fin

1 c. à thé (5 ml) de fines herbes ou d'herbes italiennes

1 lb (500 g) de cuisses de poulet désossées (environ 8), sans la peau, taillées en cubes de 1 po (2,5 cm)

3 c. à soupe (45 ml) de farine tout usage

2 tasses (500 ml) de bouillon de poulet à teneur réduite en sodium

1 sachet de macédoine de légumes surgelés (1 lb ou 500 g)

poivre noir frais moulu

ANALYSE DES ÉLÉMENTS NUTRITIFS PAR PORTION	
Calories	275
Glucides	25 g
Fibres	5 g
Protéines	26 g
Total des matières grasses	8 g
Gras saturés	2 g
Sodium	360 mg
Cholestérol	75 mg

Pour 6 personnes

Ragoût d'agneau épicé

1. Faites chauffer 15 ml (1 c. à soupe) d'huile à feu moyen-vif dans une grande casserole; faites cuire l'agneau par lots, en ajoutant de l'huile, s'il y a lieu, jusqu'à ce qu'il soit doré sur toutes ses faces. Retirez de la casserole et réservez.

2. Ramenez le feu à la puissance moyenne. Ajoutez l'oignon, l'ail, le gingembre, le cumin, la coriandre, la cannelle, le sel, les flocons de piment et le clou de girofle; faites cuire en remuant pendant 2 minutes ou jusqu'à ce que l'oignon ait fondu.

3. Saupoudrez la farine et ajoutez le yogourt en remuant. Faites cuire pendant 1 minute ou jusqu'à épaississement. Ajoutez l'agneau et son jus de cuisson, la tomate et le bouillon; amenez à ébullition. Réduisez l'intensité du feu et laissez mijoter à couvert pendant 45 minutes ou jusqu'à ce que l'agneau soit tendre. Garnissez de coriandre ou de persil avant de servir.

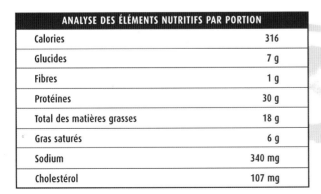

ANALYSE DES ÉLÉMENTS NUTRITIFS PAR PORTION	
Calories	316
Glucides	7 g
Fibres	1 g
Protéines	30 g
Total des matières grasses	18 g
Gras saturés	6 g
Sodium	340 mg
Cholestérol	107 mg

2 c. à soupe (30 ml) d'huile végétale (environ)

1½ lb (750 g) d'agneau désossé, taillé en cubes de 1 po (2,5 cm)

1 gros oignon haché

2 gousses d'ail hachées fin

1 c. à soupe (15 ml) de gingembre haché fin

1 c. à thé (5 ml) de cumin moulu

1 c. à thé (5 ml) de coriandre moulue

½ c. à thé (2 ml) de cannelle moulue

½ c. à thé (2 ml) de sel

¼ c. à thé (1 ml) de flocons de piment de Cayenne ou au goût

1 pincée de clou de girofle moulu

1 c. à soupe (15 ml) de farine tout usage

½ tasse (125 ml) de yogourt nature allégé

1 grosse tomate hachée

½ tasse (125 ml) de bouillon de poulet à teneur réduite en sodium ou de fond d'agneau

¼ tasse (50 ml) de coriandre ou de persil frais haché

Pour 4 personnes

Braisé de saucisses italiennes et de pommes de terre

1. À l'aide d'une fourchette, piquez les saucisses en plusieurs endroits et déposez-les dans une grande casserole à feu moyen-vif. Ajoutez l'eau et faites-les cuire en les tournant souvent et en ajoutant de l'eau, s'il le faut (pour empêcher les saucisses de coller à la casserole), pendant 10 ou 12 minutes ou jusqu'à ce qu'elles soient dorées et que leur centre ne soit plus rose. Laissez-les refroidir quelque peu et taillez-les en tranches.

2. Enlevez le gras de la casserole; ajoutez l'huile, l'oignon, le fenouil, l'ail et l'origan; faites cuire en remuant pendant 3 minutes ou jusqu'à ce que les légumes aient fondu. Ajoutez les pommes de terre, les tomates et leur jus, le bouillon, le sel et le poivre; amenez à ébullition. Réduisez l'intensité du feu, couvrez et faites cuire pendant 15 minutes ou jusqu'à ce que les pommes de terre soient presque tendres. Remettez les saucisses dans la casserole, couvrez et faites cuire pendant 8 minutes ou jusqu'à ce que les pommes de terre soient tendres. Garnissez de persil.

1 lb (500 g) de saucisses italiennes à la dinde, douces ou pimentées

2 c. à soupe (30 ml) d'eau (environ)

2 c. à thé (10 ml) d'huile d'olive

1 gros oignon, taillé en deux sur le sens de la longueur, en tranches

1 gros bulbe de fenouil, paré, évidé et taillé en lanières

2 gousses d'ail hachées fin

1 c. à thé (5 ml) d'origan séché

4 pommes de terre moyennes, pelées et taillées en cubes (environ 1½ lb ou 750 g)

1 boîte (14 oz ou 398 ml) de tomates hachées et leur jus

½ tasse (125 ml) de bouillon de bœuf à teneur réduite en sodium

½ c. à thé (2 ml) de sel

¼ c. à thé (1 ml) de poivre noir frais moulu

2 c. à soupe (30 ml) de persil frais haché

ANALYSE DES ÉLÉMENTS NUTRITIFS PAR PORTION	
Calories	222
Glucides	25 g
Fibres	4 g
Protéines	16 g
Total des matières grasses	6 g
Gras saturés	2 g
Sodium	725 mg
Cholestérol	81 mg

Pour 8 personnes

Jambalaya

Non

Faites d'abord chauffer le four à 350 °F (180 °C).
Plat de cuisson ou assiette de service allant au four de 12 tasses (3 l)

1. Faites chauffer l'huile à feu moyen-vif dans un faitout. Ajoutez le poulet et faites cuire pendant 5 minutes ou jusqu'à ce qu'il soit doré sur ses deux faces. Déposez dans une assiette.

2. Ajoutez dans le faitout les saucisses, l'oignon, l'ail, le céleri, les poivrons, le thym, le paprika, le sel, le piment de la Jamaïque et le poivre de Cayenne; faites cuire en remuant souvent pendant 5 minutes ou jusqu'à ce que les légumes aient fondu. Retournez le poulet dans le faitout avec ses jus de cuisson. Ajoutez le riz en remuant, puis les tomates et leur jus, ainsi que le bouillon. Amenez à ébullition.

3. Transférez le tout dans le plat de cuisson. Couvrez et faites cuire au four pendant 30 minutes ou jusqu'à ce que le riz et le poulet soient tendres. Ajoutez les crevettes, le persil et les oignons verts en remuant; couvrez et poursuivez la cuisson au four pendant 5 à 8 minutes ou jusqu'à ce que les crevettes soient devenues roses.

4 c. à thé (20 ml) d'huile d'olive

1½ lb (750 g) de cuisses de poulet désossées, sans la peau (environ 12)

4 oz (125 g) de saucisses fumées tranchées fin

1 gros oignon haché

3 gousses d'ail hachées fin

2 tiges de céleri taillées en dés

2 poivrons taillés en dés

1 c. à thé (5 ml) de thym séché

1 c. à thé (5 ml) de paprika

½ c. à thé (2 ml) de sel

¼ c. à thé (1 ml) de piment de la Jamaïque moulu

¼ c. à thé (1 ml) de poivre de Cayenne

1½ tasse (375 ml) de riz à grains longs

1 boîte (14 oz ou 398 ml) de tomates, avec leur jus, hachées

1¾ tasse (425 ml) de bouillon de poulet à teneur réduite en sodium

8 oz (250 g) de crevettes moyennes crues, avec leur carapace

⅓ tasse (75 ml) de persil frais haché

3 oignons verts hachés fin

ANALYSE DES ÉLÉMENTS NUTRITIFS PAR PORTION	
Calories	371
Glucides	35 g
Fibres	2 g
Protéines	28 g
Total des matières grasses	13 g
Gras saturés	4 g
Sodium	630 mg
Cholestérol	115 mg

Pour 8 personnes

Bœuf braisé à la bière et aux oignons caramélisés

Faites d'abord chauffer le four à 325 °F (160 °C).

1. Versez la farine dans une grande assiette pour y fariner la viande. Secouez pour enlever le surplus de farine et réservez.

2. Faites chauffer 1 c. à soupe (15 ml) d'huile à feu moyen-vif dans un faitout ou une grande casserole. Faites dorer la viande sur toutes ses faces pendant 6 minutes environ. Déposez-la dans une assiette.

3. Ramenez le feu à la puissance moyenne. Versez le reste de l'huile dans le faitout. Ajoutez les oignons, la cassonade, les feuilles de laurier, le sel, la cannelle, le gingembre et le poivre. Faites cuire en remuant souvent pendant 12 à 15 minutes ou jusqu'à ce que les oignons aient fondu et soient d'une belle couleur. (Ajoutez de l'huile s'il le faut pour empêcher les oignons de brûler.)

4. Ajoutez la farine que vous aviez réservée et l'ail; faites cuire en remuant pendant 30 secondes. Versez le vinaigre et faites cuire jusqu'à ce qu'il soit évaporé. Versez la bière et la sauce tomate, amenez à ébullition en remuant jusqu'à ce que la sauce épaississe. Remettez la viande et le jus de cuisson dans le faitout, couvrez et faites cuire dans un four préchauffé pendant 2 heures.

5. Entre-temps, pelez les carottes et le rutabaga; taillez-les en bandes de 2 x ½ po (5 x 1 cm). Déposez-les dans le faitout. Couvrez et faites cuire pendant 60 à 90 minutes de plus ou jusqu'à ce que la viande soit tendre.

6. Sortez le bœuf du faitout et taillez-le en tranches fines. Disposez-les sur une assiette de service; entourées des légumes. Dégraissez la sauce, enlevez les feuilles de laurier et, à l'aide d'une cuillère, nappez la viande de sauce et versez le reste dans une saucière chaude que vous présenterez à la table.

(2½ oz ou 75 g de viande maigre par portion avec sauce et légumes)

1 morceau de bœuf à braiser tel que les côtes croisées, la croupe ou la pointe de poitrine (environ 3 lb ou 1,5 kg)

¼ tasse (50 ml) de farine tout usage

2 c. à soupe (30 ml) d'huile végétale (environ)

4 oignons moyens, taillés en 2 sur le sens de la longueur et tranchés fin (environ 1¼ lb ou 625 g)

2 c. à soupe (30 ml) de cassonade bien tassée

2 feuilles de laurier

1 c. à thé (5 ml) de sel

½ c. à thé (2 ml) de cannelle moulue

½ c. à thé (2 ml) de gingembre moulu

½ c. à thé (2 ml) de poivre noir frais moulu

3 grosses gousses d'ail hachées fin

2 c. à soupe (30 ml) de vinaigre balsamique

1 bouteille de bière (12 oz ou 341 ml)

1 boîte (7 ½ oz ou 213 ml) de sauce tomate

1½ lb (750 g) de carottes (8 environ)

1 petit rutabaga (1 lb ou 500 g environ)

ANALYSE DES ÉLÉMENTS NUTRITIFS PAR PORTION	
Calories	339
Glucides	27 g
Fibres	4 g
Protéines	30 g
Total des matières grasses	12 g
Gras saturés	3 g
Sodium	570 mg
Cholestérol	63 mg

Pour 8 personnes

Poivrons farcis au bœuf et au riz

Faites d'abord chauffer le four à 350 °F (180 °C). Moule à pain de 13 x 9 po (3 l).

1. Taillez les poivrons en deux dans le sens de la longueur. Enlevez les pépins et les membranes. Faites-les blanchir pendant 5 minutes dans une marmite pleine d'eau salée; égouttez-les et déposez-les sur une clayette pour qu'ils refroidissent.

2. Faites cuire le bœuf et la chair de saucisses à feu moyen-vif dans une grande poêle anti-adhésive, en les défaisant à l'aide d'une cuillère de bois, pendant 5 à 7 minutes ou jusqu'à ce que la viande ne soit plus rosée. Égouttez à l'aide d'une passoire pour évacuer le gras; laissez reposer.

3. Ajoutez de l'huile dans la poêle; faites cuire les oignons verts, l'ail et le basilic en remuant pendant 2 minutes ou jusqu'à ce que les oignons aient fondu. Ajoutez en remuant les tomates, le maïs et le poivre; faites cuire en remuant pendant 3 à 5 minutes ou jusqu'à ce que les grains de maïs soient tendres. Ajoutez le riz et le bœuf haché; faites cuire en remuant pendant 3 minutes ou jusqu'à ce qu'ils soient bien chauds.

4. Dans un bol, mélangez la mozzarella et le parmesan. Versez la moitié de la préparation dans le riz. Disposez les moitiés de poivrons dans le plat de cuisson avant de les farcir de riz et de les garnir du mélange de fromages qui reste. Versez le bouillon dans le plat de cuisson et faites cuire les poivrons dans un four préchauffé pendant 30 à 35 minutes ou jusqu'à ce que le fromage soit doré et que la farce soit fumante.

| 4 gros poivrons rouges ou verts |
| 8 oz (250 g) de bœuf haché maigre |
| 8 oz (250 g) de saucisses de dinde maigres, sans les boyaux |
| 2 c. à thé (10 ml) d'huile d'olive |
| 4 oignons verts en tranches |
| 2 gousses d'ail hachées fin |
| 1 c. à thé (5 ml) de basilic séché |
| 2 grosses tomates pelées, épépinées et taillées en dés |
| 1 tasse (250 ml) de grains de maïs surgelés ou frais |
| ½ c. à thé (2 ml) de poivre noir frais moulu |
| 1½ tasse (375 ml) de riz cuit |
| ¾ tasse (175 ml) de mozzarella écrémée, râpée |
| ¼ tasse (50 ml) de parmesan râpé |
| ½ tasse (125 ml) de bouillon de poulet |

ANALYSE DES ÉLÉMENTS NUTRITIFS PAR PORTION	
Calories	228
Glucides	21 g
Fibres	2 g
Protéines	17 g
Total des matières grasses	9 g
Gras saturés	4 g
Sodium	450 mg
Cholestérol	54 mg

Pour 4 personnes

Macaroni au bœuf et aux courgettes

1. Faites cuire le bœuf dans une grande poêle antiadhésive à feu moyen-vif, en le défaisant à l'aide d'une cuillère de bois, pendant 5 minutes ou jusqu'à ce qu'il ne soit plus rosé. Ajoutez l'oignon, l'ail et le basilic; faites cuire en remuant pendant 2 minutes.

2. Ajoutez la sauce tomate et le bouillon; amenez à ébullition. Ajoutez les pâtes en remuant, réduisez l'intensité du feu, couvrez et faites cuire pendant 2 minutes.

3. Ajoutez les courgettes en remuant; faites cuire à couvert, en remuant de temps en temps et en ajoutant du bouillon s'il le faut, pendant 5 à 7 minutes ou jusqu'à ce que les pâtes et les courgettes soient tendres.

1 lb (500 g) de dinde ou de bœuf haché maigre

1 petit oignon haché

2 gousses d'ail hachées fin

1 c. à thé (5 ml) de basilic ou d'origan séché

1½ tasse (375 ml) de sauce tomate

1½ tasse (375 ml) de bouillon de poulet ou de bœuf à teneur réduite en sodium

1 tasse (250 ml) de macaronis

2 courgettes moyennes taillées en cubes de ½ po (1 cm)

ANALYSE DES ÉLÉMENTS NUTRITIFS PAR PORTION	
Calories	404
Glucides	33 g
Fibres	4 g
Protéines	29 g
Total des matières grasses	17 g
Gras saturés	6 g
Sodium	545 mg
Cholestérol	68 mg

Pour 12 personnes

Chili con carne sans haricots

1. Faites cuire le bœuf haché en deux lots dans un grand faitout ou une marmite à feu moyen-vif, en le défaisant à l'aide d'une cuillère de bois, pendant près de 7 minutes ou jusqu'à ce qu'il ne soit plus rosé. Déposez le bœuf dans une passoire et laissez le gras s'égoutter avant de le mettre dans un bol.

2. Réduisez l'intensité du feu à la puissance moyenne et versez l'huile dans une poêle. Ajoutez les oignons, l'ail, les piments jalapeños, la poudre de chili, l'origan, le cumin, les feuilles de laurier, le sel et les flocons de piment de Cayenne; faites cuire en remuant pendant 5 minutes ou jusqu'à ce que l'oignon ait fondu.

3. Remettez le bœuf dans la marmite; ajoutez les tomates et leur jus, 1¼ tasse (300 ml) d'eau, le bouillon et le concentré de tomate. Amenez à ébullition; laissez mijoter à couvert pendant 30 minutes en remuant de temps en temps. Ajoutez les poivrons et continuez la cuisson pendant 30 minutes.

4. Mélangez dans un bol 50 ml (¼ tasse) d'eau et la semoule de maïs; ajoutez à la préparation en remuant. Faites cuire pendant 10 minutes ou jusqu'à ce que la sauce ait épaissi. Retirez les feuilles de laurier avant de servir.

| 3 lb (1,5 kg) de bœuf haché maigre |
| 1 c. à soupe (15 ml) d'huile d'olive |
| 2 gros oignons hachés |
| 6 gousses d'ail hachées fin |
| 5 ou 6 piments jalapeños hachés fin |
| 3 c. à soupe (45 ml) de poudre de chili |
| 1 c. à soupe (15 ml) d'origan séché |
| 1 c. à soupe (15 ml) de cumin |
| 2 feuilles de laurier |
| 1 c. à thé (5 ml) de sel |
| 2 c. à thé (10 ml) de flocons de piment de Cayenne ou au goût |
| 1 boîte (28 oz ou 798 ml) de tomates hachées et leur jus |
| 2 tasses (500 ml) de bouillon de bœuf à teneur réduite en sodium |
| 1 boîte (5½ oz ou 156 g) de concentré de tomate |
| 3 poivrons rouges ou verts, taillés en dés |
| ¼ tasse (50 ml) de semoule de maïs |

■ ■ ■ ■ ■ ■ ■

ANALYSE DES ÉLÉMENTS NUTRITIFS PAR PORTION	
Calories	260
Glucides	13 g
Fibres	3 g
Protéines	23 g
Total des matières grasses	13 g
Gras saturés	5 g
Sodium	665 mg
Cholestérol	59 mg

Pour 4 personnes

Hambourgeois au fromage à l'italienne

Faites d'abord chauffer le barbecue et enduisez la grille d'un aérosol de cuisson végétal.

1. Mélangez dans un bol la sauce tomate, l'oignon, l'ail, le basilic, le sel et le poivre. Ajoutez le fromage et la chapelure en remuant; mélangez avec le bœuf. Façonnez 4 boulettes de ¾ po (2 cm) d'épaisseur.

2. Déposez-les sur la grille à feu moyen-vif; faites-les cuire, en les retournant à une reprise, pendant 6 à 7 minutes de chaque côté ou jusqu'à ce que la viande ne soit plus rosée en son centre. Déposez les boulettes sur les pains.

¼ tasse (50 ml) de sauce italienne à la tomate

¼ tasse (50 ml) d'oignon râpé ou haché fin

1 gousse d'ail hachée fin

¼ c. à thé (1 ml) de basilic ou d'origan séché

¼ c. à thé (1 ml) de sel

¼ c. à thé (1 ml) de poivre noir frais moulu

½ tasse (125 ml) de mozzarella écrémée, râpée

⅓ tasse (75 ml) de chapelure assaisonnée

1 lb (500 g) de bœuf haché maigre

4 pains à hambourgeois ouverts et quelque peu grillés

ANALYSE DES ÉLÉMENTS NUTRITIFS PAR PORTION	
Calories	307
Glucides	15 g
Fibres	1 g
Protéines	27 g
Total des matières grasses	15 g
Gras saturés	6 g
Sodium	505 mg
Cholestérol	69 mg

Pour 12 personnes

Gâteau aux framboises

Faites d'abord chauffer le four à 350 °F (180 °C).
Moule à charnière de 9 po (23 cm) enduit d'un aérosol de cuisson végétal

1. Mélangez dans un bol la farine, le sucre, la noix de coco, la levure chimique, le bicarbonate de soude et le sel.

2. Dans un autre bol, fouettez l'huile et les œufs, la crème sure et la vanille. Ajoutez en remuant la préparation à base de farine et mélangez comme il se doit. Incorporez délicatement les framboises; déposez la pâte dans le moule apprêté.

3. Pour la garniture : Mélangez dans un bol la cassonade, les flocons d'avoine, la farine, la noix de coco et la cannelle. Incorporez le beurre à l'aide d'un coupe-pâte ou de deux couteaux de manière à former des miettes grossières dont vous garnirez le dessus du gâteau.

4. Faites cuire sur la clayette au centre d'un four préchauffé pendant 55 à 60 minutes ou jusqu'à ce qu'un cure-dents introduit au centre du gâteau en ressorte propre. Déposez le gâteau sur une clayette afin qu'il refroidisse.

1½ tasse (375 ml) de farine tout usage

¾ tasse (175 ml) de sucre granulé

½ tasse (125 ml) de noix de coco sucrée, râpée

2 c. à thé (10 ml) de levure chimique

½ c. à thé (2 ml) de bicarbonate de soude

¼ c. à thé (1 ml) de sel

¼ tasse (50 ml) d'huile de canola

2 œufs

¾ tasse (175 ml) de crème sure allégée

1 c. à thé (5 ml) de vanille

1 tasse (250 ml) de framboises ou de bleuets frais ou surgelés

Garniture

3 c. à soupe (45 ml) de cassonade bien tassée

2 c. à soupe (30 ml) de flocons d'avoine à cuisson rapide

2 c. à soupe (30 ml) de farine tout usage

2 c. à soupe (30 ml) de noix de coco sucrée, râpée

½ c. à thé (2 ml) de cannelle moulue

2 c. à soupe (30 ml) de beurre taillé en morceaux

ANALYSE DES ÉLÉMENTS NUTRITIFS PAR PORTION	
Calories	241
Glucides	34 g
Fibres	1 g
Protéines	4 g
Total des matières grasses	10 g
Gras saturés	3 g
Sodium	185 mg
Cholestérol	36 mg

Pour 9 personnes

Croustade aux pêches et aux amandes

Faites d'abord chauffer le four à 375 °F (190 °C).
Plat de cuisson de 8 po² (2 l) enduit d'un aérosol de cuisson végétal

1. Pour les fruits : Dans un grand bol, touillez les pêches fraîches, les fruits en conserve et la fécule de maïs. Déposez dans le plat de cuisson apprêté.

2. Pour la garniture : Dans un petit bol, mélangez les flocons d'avoine, la farine, la cassonade et le gingembre. Versez le beurre et remuez de manière à former des miettes grossières. Répandez sur les fruits et garnissez d'amandes.

3. Faites cuire dans un four préchauffé pendant 30 à 35 minutes ou jusqu'à ce que la croûte soit dorée et que la garniture bouillonne. Servez tiède ou à température ambiante.

Fruits

4 tasses (1 l) de pêches ou de nectarines pelées et tranchées

¼ tasse (50 ml) de pêches ou d'abricots en conserve

2 c. à thé (10 ml) de fécule de maïs

Garniture

½ tasse (125 ml) de gros flocons d'avoine

½ tasse (125 ml) de farine tout usage

¼ tasse (50 ml) de cassonade bien tassée

¼ c. à thé (1 ml) de gingembre moulu

¼ tasse (50 ml) de beurre fondu

2 c. à soupe (30 ml) d'amandes en lamelles

ANALYSE DES ÉLÉMENTS NUTRITIFS PAR PORTION	
Calories	197
Glucides	34 g
Fibres	2 g
Protéines	3 g
Total des matières grasses	6 g
Gras saturés	3 g
Sodium	60 mg
Cholestérol	14 mg

Pour 9 personnes

Pouding aux pommes et au sirop d'érable

Faites d'abord chauffer le four à 350 °F (180 °C).
Plat de cuisson de 8 po² (2 l) enduit d'un aérosol de cuisson végétal

1. Amenez les pommes et le sirop d'érable à ébullition dans une grande casserole; réduisez l'intensité du feu et laissez mijoter pendant 3 minutes ou jusqu'à ce que les pommes aient fondu. Versez dans le plat de cuisson apprêté.

2. Dans un grand bol, mélangez la farine, le sucre, la levure chimique et le bicarbonate de soude. Incorporez le beurre à l'aide d'un coupe-pâte de manière à former des miettes fines.

3. Mélangez l'œuf, le babeurre et la vanille dans un petit bol. Versez sur la préparation à base de farine et remuez jusqu'à ce que tous les ingrédients soient mélangés. Déposez des cuillerées de pâte sur les tranches de pommes chaudes.

4. Faites cuire dans un four préchauffé pendant 30 minutes ou jusqu'à ce que le dessus du pouding soit doré et qu'un cure-dents introduit en son centre en ressorte propre. Servez tiède.

4 tasses (1 l) de pommes Macintosh pelées, évidées et tranchées

½ tasse (125 ml) de sirop d'érable pur

1 tasse (250 ml) de farine tout usage

¼ tasse (50 ml) de sucre granulé

1½ c. à thé (7 ml) de levure chimique

½ c. à thé (2 ml) de bicarbonate de soude

¼ tasse (50 ml) de morceaux de beurre

1 œuf

½ tasse (125 ml) de babeurre

1 c. à thé (5 ml) de vanille

ANALYSE DES ÉLÉMENTS NUTRITIFS PAR PORTION	
Calories	207
Glucides	36 g
Fibres	1 g
Protéines	3 g
Total des matières grasses	6 g
Gras saturés	3 g
Sodium	190 mg
Cholestérol	35 mg

Pour 9 personnes

Pain perdu aux raisins et à la cannelle

Faites d'abord chauffer le four à 375 °F (190 °C). Plaques à cuisson
Plat de cuisson de 12 x 8 po (2,5 l) enduit d'un aérosol de cuisson végétal
Grande rôtissoire peu profonde ou lèchefrite profonde

1. Déposez les tranches de pain en un seul rang sur les plaques à cuisson et faites-les légèrement griller dans un four préchauffé pendant 10 à 12 minutes. Laissez-les refroidir. Laissez chauffer le four. Taillez le pain en cubes et déposez-les dans le plat de cuisson.

2. Mélangez dans un bol les œufs, le lait, la crème, le sucre et la vanille. Versez sur le pain. Laissez tremper pendant 10 minutes en exerçant de délicates pressions à l'aide d'une spatule.

3. Pour la garniture : Mélangez dans un bol le sucre et la cannelle. Saupoudrez sur le pain.

4. Déposez le plat de cuisson dans la rôtissoire ou la lèchefrite; versez-y suffisamment d'eau bouillante pour qu'elle atteigne la mi-hauteur du plat de cuisson. Faites cuire dans un four préchauffé pendant 45 à 50 minutes ou jusqu'à ce que le dessus du pouding ait gonflé et que la crème pâtissière ait figé. Déposez le plat sur une clayette et laissez refroidir. Servez tiède ou à température ambiante.

12 tranches de pain aux raisins et à la cannelle (1 pain de 1 lb ou 500 g)
6 œufs
2 tasses (500 ml) de lait entier
1 tasse (250 ml) de demi-crème (10 %)
¾ tasse (175 ml) de sucre granulé
2 c. à thé (10 ml) de vanille
Garniture
2 c. à soupe (30 ml) de sucre granulé
½ c. à thé (2 ml) de cannelle moulue

ANALYSE DES ÉLÉMENTS NUTRITIFS PAR PORTION	
Calories	329
Glucides	50 g
Fibres	2 g
Protéines	11 g
Total des matières grasses	10 g
Gras saturés	4 g
Sodium	275 mg
Cholestérol	140 mg

Pour 8 personnes

Pouding au riz

½ tasse (125 ml) de riz à grains courts tel que l'arborio

5 tasses (1,25 l) de lait entier

⅓ tasse (75 ml) de sucre granulé

½ c. à thé (2 ml) de sel

1 jaune d'œuf

¼ tasse (50 ml) de raisins Sultana

1 c. à thé (5 ml) de vanille

cannelle moulue (facultatif)

1. Dans une grande casserole, mélangez le riz, 4 ½ tasses (1,12 l) de lait, le sucre et le sel. Amenez à ébullition; ramenez le feu à moyen-doux et laissez mijoter, en couvrant la casserole en partie, pendant 45 à 50 minutes ou jusqu'à ce que le riz soit tendre et que la préparation ait épaissi.

2. À l'aide d'un fouet, mélangez 125 ml (½ tasse) de lait et le jaune d'œuf. Ajoutez à la préparation à base de riz en remuant pendant 1 minute ou jusqu'à ce que la texture soit crémeuse. Retirez du feu. Ajoutez les raisins et la vanille.

3. Servez tiède ou à température ambiante. (Le pouding épaissit quelque peu à mesure qu'il refroidit.) Saupoudrez de la cannelle moulue si vous le voulez.

ANALYSE DES ÉLÉMENTS NUTRITIFS PAR PORTION	
Calories	194
Glucides	29 g
Fibres	0 g
Protéines	6 g
Total des matières grasses	6 g
Gras saturés	3 g
Sodium	220 mg
Cholestérol	44 mg

Pour 6 personnes

Tranches de pommes et canneberges séchées à la cassonade

1. Dans une grande casserole, mélangez le jus d'orange, la cassonade et la fécule de maïs jusqu'à obtention d'une consistance homogène. Ajoutez en remuant les tranches de pommes, les canneberges et la cannelle. Faites cuire à feu moyen, en remuant de temps en temps, pendant 7 à 9 minutes ou jusqu'à ce que les pommes soient tendres et que la sauce ait légèrement épaissi. Servez chaud ou à température ambiante.

⅓ tasse (75 ml) de jus d'orange

¼ tasse (50 ml) de cassonade bien tassée

1 c. à thé (5 ml) de fécule de maïs

4 pommes pelées, évidées et tranchées

¼ tasse (50 ml) de canneberges séchées

½ c. à thé (2 ml) de cannelle moulue

ANALYSE DES ÉLÉMENTS NUTRITIFS PAR PORTION	
Calories	111
Glucides	29 g
Fibres	2 g
Protéines	0 g
Total des matières grasses	0 g
Gras saturés	0 g
Sodium	5 mg
Cholestérol	0 mg

Pour 4 personnes

Crème pâtissière

1. À l'aide d'un fouet, mélangez, dans une petite casserole, les jaunes d'œufs, le lait, le sirop d'érable et la fécule de maïs jusqu'à l'obtention d'une consistance homogène. Faites cuire à feu moyen en remuant sans cesse pendant 2 à 4 minutes ou jusqu'à ce que la crème bouillonne et épaississe.

2. Déposez les fruits dans quatre coupes et versez la crème chaude. Couvrez et réfrigérez pendant 1 heure ou jusqu'à ce que les coupes soient fraîches.

2 jaunes d'œufs

1⅓ tasse (325 ml) de lait

⅓ tasse (75 ml) de sirop d'érable pur

2 c. à soupe (30 ml) de fécule de maïs

2 pêches, poires ou bananes pelées et tranchées

ANALYSE DES ÉLÉMENTS NUTRITIFS PAR PORTION	
Calories	165
Glucides	30 g
Fibres	1 g
Protéines	4 g
Total des matières grasses	3 g
Gras saturés	1 g
Sodium	45 mg
Cholestérol	98 mg

Pour 1 pain

Pain aux bananes

Faites d'abord chauffer le four à 325 °F (160 °C).
Moule à pain de 9 x 5 po (2 l) enduit d'un aérosol de cuisson végétal

1. Tamisez dans un bol la farine, le bicarbonate de soude et le sel.

2. Dans un autre bol, fouettez les œufs. Ajoutez en remuant la purée de bananes, l'huile, le miel et la cassonade. Ajoutez les ingrédients secs à la préparation à la banane et remuez jusqu'à ce qu'ils soient bien amalgamés. Ajoutez les noix.

3. Versez la pâte dans le moule à pain apprêté. Faites cuire dans un four préchauffé pendant 75 minutes ou jusqu'à ce qu'un cure-dents introduit au centre du pain en ressorte propre. Posez le moule sur une clayette et laissez refroidir pendant 15 minutes. Introduisez la lame d'un couteau tout autour du moule, retournez-le et laissez le pain refroidir sur la clayette.

1 tranche par portion sur un total de 14

1¾ tasse (425 ml) de farine tout usage

1 c. à thé (5 ml) de bicarbonate de soude

½ c. à thé (2 ml) de sel

2 œufs

1 tasse (250 ml) de purée de bananes mûres (environ 3)

⅓ tasse (75 ml) d'huile végétale

½ tasse (125 ml) de miel liquide

⅓ tasse (75 ml) de cassonade bien tassée

½ tasse (125 ml) de noix hachées

ANALYSE DES ÉLÉMENTS NUTRITIFS PAR PORTION	
Calories	211
Glucides	31 g
Fibres	1 g
Protéines	3 g
Total des matières grasses	9 g
Gras saturés	1 g
Sodium	185 mg
Cholestérol	27 mg

Pour 40 biscuits

Biscuits au beurre d'arachide

Faites d'abord chauffer le four à 375 °F (190 °C).
Plaques à cuisson chemisées de papier sulfurisé

1. Dans un bol, réduisez en crème le beurre, le beurre d'arachide et la cassonade jusqu'à ce que le mélange soit léger comme un nuage. À l'aide d'un fouet, incorporez l'œuf et la vanille.

2. Dans un autre bol, mélangez la farine, le bicarbonate de soude et le sel. Incorporez-les à la préparation au beurre.

3. Formez des boules de 1 po (2,5 cm) et déposez-les à 2 po (5 cm) de distance les unes des autres sur les plaques à cuisson apprêtées. Avec une fourchette, nivelez chaque boule en dessinant des vagues à sa surface.

4. Faites cuire une plaque à la fois sur la clayette au centre du four préchauffé pendant 11 à 13 minutes ou jusqu'à ce que les biscuits soient dorés. À l'aide d'une spatule, déposez les biscuits sur une clayette et laissez-les refroidir complètement.

(1 biscuit par portion)

½ tasse (125 ml) de beurre amolli ou de shortening

⅔ tasse (150 ml) de beurre d'arachide allégé crémeux

1 tasse (250 ml) de cassonade bien tassée

1 œuf

1 c. à thé (5 ml) de vanille

1¾ tasse (425 ml) de farine tout usage

½ c. à thé (2 ml) de bicarbonate de soude

¼ c. à thé (1 ml) de sel

ANALYSE DES ÉLÉMENTS NUTRITIFS PAR PORTION	
Calories	85
Glucides	11 g
Fibres	0 g
Protéines	2 g
Total des matières grasses	4 g
Gras saturés	2 g
Sodium	80 mg
Cholestérol	11 mg

Pour 36 biscuits

Biscuits à la farine d'avoine

Faites d'abord chauffer le four à 350 °F (180 °C).
Plaques à cuisson chemisées de papier sulfurisé

1. Dans un bol, ramenez le beurre en crème et incorporez le sucre jusqu'à ce que le tout soit léger comme un nuage. Incorporez ensuite l'œuf et la vanille.

2. Dans un autre bol, mélangez la farine, le bicarbonate de soude et le sel. Incorporez au mélange à base de beurre. Ajoutez en remuant les flocons d'avoine, les amandes et les canneberges séchées.

3. Déposez des cuillerées (1 c. à soupel ou 15 m) de pâte à 2 po (5 cm) de distance les unes des autres sur les plaques à cuisson, et nivelez-les à l'aide d'une fourchette.

4. Faites cuire une plaque à la fois sur la clayette au centre du four préchauffé pendant 12 à 14 minutes ou jusqu'à ce que les contours des biscuits soient dorés. Laissez reposer pendant 5 minutes. À l'aide d'une spatule, déposez les biscuits sur une clayette et laissez-les refroidir complètement.

(1 biscuit par portion)

¾ tasse (175 ml) de beurre amolli

1¼ tasse (300 ml) de cassonade bien tassée

1 œuf

1 c. à thé (5 ml) de vanille

1¼ tasse (300 ml) de farine de blé complet

½ c. à thé (2 ml) de bicarbonate de soude

¼ c. à thé (1 ml) de sel

1½ tasse (375 ml) de flocons d'avoine à l'ancienne

¾ tasse (175 ml) d'amandes effilées ou de pacanes hachées

¾ tasse (175 ml) de canneberges, de cerises ou de raisins séchés

ANALYSE DES ÉLÉMENTS NUTRITIFS PAR PORTION	
Calories	113
Glucides	16 g
Fibres	1 g
Protéines	2 g
Total des matières grasses	5 g
Gras saturés	3 g
Sodium	80 mg
Cholestérol	16 mg

Pour 18 crêpes

Crêpes au babeurre

(2 crêpes par portion)

1¾ tasse (425 ml) de farine tout usage

1 c. à soupe (15 ml) de sucre granulé

2 c. à thé (10 ml) de levure chimique

½ c. à thé (2 ml) de bicarbonate de soude

½ c. à thé (2 ml) de sel

2 œufs

2 tasses (500 ml) de babeurre

2 c. à soupe (30 ml) de beurre fondu

1. Mélangez dans un bol la farine, le sucre, la levure chimique, le bicarbonate de soude et le sel.

2. Dans un autre bol, fouettez les œufs; ajoutez le ba-beurre et le beurre fondu. Ajoutez à la préparation à base de farine en fouettant jusqu'à l'obtention d'une pâte épaisse et lisse.

3. Déposez dans une crêpière ou une grande poêle antiadhésive huilée qui chauffe à feu moyen ¼ tasse (50 ml) de pâte à crêpes et raclez-la pour former un cercle de 4 po (10 cm). Faites-la cuire pendant 90 secondes environ ou jusqu'à ce que des bulles se forment à la surface; tournez-la et laissez-la cuire jusqu'à ce qu'elle soit dorée des deux côtés.

4. Ajoutez une confiture maison sans sucre si vous le désirez.

ANALYSE DES ÉLÉMENTS NUTRITIFS PAR PORTION	
Calories	156
Glucides	23 g
Fibres	1 g
Protéines	6 g
Total des matières grasses	4 g
Gras saturés	2 g
Sodium	355 mg
Cholestérol	50 mg

Bon appétit ...